ウクライナ丸かじり

～自分の目で見、手で触り、心で感じたウクライナ～

小野　元裕

目次

ウクライナ・ブックレット①

はじめに——ウクライナで人びとは何を考え、どのように暮らしているのか

ウクライナと聞いて日本人がイメージするのはチェルノブイリだろう。オレンジ革命を思い浮かべる人もいるかも知れない。しかしそれ以上のことになると、思い浮かべるのが困難ではなかろうか……。

大学時代ロシア文学を専攻し、卒業後もロシアはじめスラブのことに興味が尽きず、いろいろな形で関わってきた。スラブのことを学んでいる内に、その源流はキエフにあるということが分かった。キエフに行って肌でスラブの風を感じ、日本との文化交流事業を行おうと志を立て、十三年間勤めた大阪の出版社・新風書房を退職し、キエフに赴いた。まさにゼロからのスタートである。通天閣のてっぺんから飛び降り、羽の生えるのを期待してもがいたというのが実情。中ほどまで落ちてようやく羽が生え始め、地面ぎりぎりでやっと生え揃い不時着できたという感じである。羽が何とか生えたのは、ウクライナでご縁いただいた人びとの協力があってのことだ。また、日本の家族や仲間たちの物心両面にわたる援助がなければ到底不時着できなかっただろう。感謝してもしきれない。

日本を出発する時、友人知人から異口同音に「一年後には本を書いてくださいね」という温かい励ましの言葉をいただいた。本の出来上がりを考えながら、ウクライナの全ての州を回り取材した。本書の性格上、エキスのみを書くことにしたが、話題はまだまだある。改めて発表したいと思っている。また、金森太郎監督のドキュメンタリー映画「チベット、チベット」に触発され、自分でもビデオカメラを常に持ち歩き一つの映画作品を作ろうと決心した。一年間で約五十五時間撮影したので、これを編集して一本にまとめるべく準備中である。タイトルは「ウクライナの恋人たち」と既に決めている。

本書のテーマは一つに絞った。つまり、「ウクライナで人びとは何を考え、どのように暮らしているのか」である。従って、年号や数量など細かいことは、あえてできる限り省いた。細部に囚われることなく、ウクライナの空気をダイレクトに肌で感じていただこうと思ったからだ。これがきっかけとなって、もっとウクライナのことを知りたいと思う人が出てくれれば、本書の役目は果たされたことになる。幸いウクライナに関する好著がいくつかあるので、興味を持った人には次のステップとしてそれらを紹介する。いずれも日本で買い求めることができる。まずウクライナ語を学びたい人には、中井和夫著『ウクライナ語入門』（大学書林）。ウクライナの歴史を知りたい人には、黒川祐次著『物語　ウクライナの歴史』（中公新書）。ウクライナ人のメンタリティーに触れたい人には藤井悦子、オリガ・ホメンコ編訳『現代ウクライナ短編集』（群像社）。ウクライナの風景を楽しみたい人には佐野朝彦著『キエフ２００１−２００４』（リトル・ガリヴァー社）。そして、ウクライナを旅行したい人には『地球の歩き方　ロシア』（ダイヤモンド・ビッグ社）。異色のガイドブックとして、東京農大ウクライナ１００の素顔編集委員会編『ウクライナ１００の素顔　もうひとつのガイドブック』（東京農業大学出版会）を挙げておこう。

本書は書き下ろしであるが、第五章「ウクライナ人のメンタリティー」だけは、季刊誌「We Love 遊」（片山ふえ編集長）へ寄稿したものに手を加えた。

最後になるが、数え切れない人の協力と援助によって本書が生まれたということを繰り返したい。全ての人の名前を挙げたいが、紙面の関係上許されない。感謝すると同時にお詫びする。しかしどうしても名前を挙げなければならない人がいる。私の目を世界に向け、常に導き続けてくれた父、小野清邦である。

二〇〇六年一月　キエフにて

小野元裕

第一章　ウクライナ生活よもやま話

恐怖のエレベーター

二〇〇五年一月末、キエフに着いてすぐにマンションに向かった。大学時代にロシア語を教わったボンダレンコ先生（現キエフ大学）の娘、オクサナさんの持ち物。キエフ在住の後輩、志村伊織君が仲介役を務めてくれて一年間借りることになった。

十六階建ての高層マンション。真っ白の美しい建物。前は大きな公園。入り口には管理人もおり、ポストボックスも綺麗。いいところだな、と浮き浮き。私の部屋は十五階だという。荷物を持ってエレベーターに乗る。乗った途端、びっくり。お化け屋敷のようなエレベーター。薄汚れていて落書きがいっぱい。チューインガムがいろいろなところになすり付けられている。おまけに階を示すボタンがバラバラ。一階の部分に「3」が付いていたり、七階を示す「7」のボタンが逆さにはめられてあったりと。

いざ動き出すと、油が少ないのかエレベーター自体が老朽化して壊れる寸前なのか、キーキーと嫌な音を立てる。いつ止まるのかと気が気でない。志村君に「これ、大丈夫なのか？」と尋ねると、笑いながら「先輩、大丈夫ですよ。ウクライナではこれが普通ですよ。むしろいい方だと思います」と軽く流された。祈るような気持ちで目を瞑っていると、急にガタンと音を立ててエレベーターが止まり、電気が切れた。志村君がまたかというような顔で緊急連絡ボタンを押しながら「エレベーターが止まった。早く来てくれ」と言うと、小さなスピーカーから「慌てないで、すぐ開けるから」とおばさんの声がした。それから約三十分して救助のエレベーター業者が現れた。

伝説の言語学者と出会う

キエフに着いてすぐに志村君が「面白い先生を紹介します」と言って、キエフの中心「黄金の門」の近くに住む平湯拓先生のところへ伺うことになった。先生は何でもたいへんなビール好きで一日に五リットルは一人であけるというので、一リットル入りのビールを五、六本買って行った。

我々がお伺いすると、奥さんのナタールカさんが美味しいボルシチを作って待っていてくれた。ボルシチはウクライナ発祥。日本ではロシア料理と勘違いされているが、本当はウクライナ料理。彼女のボルシチは本当に美味しい。ウクライナ滞在中いろいろな所でボルシチを食べたが、彼女のボルシチを上回るものはない。概してレストランのボルシチよりも家庭のボルシチが美味しい。これは断言できる。

平湯先生もナタールカさんも明るく朗らかで楽しい。平湯先生は上智大学と東京外国語大学でロシア語を学びロシア語の通訳になったものの、その後運命のいたずらでドイツ語の通訳に変身。大手企業の通訳として東西ドイツで三十年近く住むことになる。ＮＨＫの通訳時代も数年ある。また、ハバロフスクの日本センターで日本語教師をしたこともあり、現在はキエフで日本語教師および通訳として活躍している。青春時代はロシアの音楽家とのドラマチックな恋があったり、ＫＧＢとＣＩＡの板ばさみになったりと波乱万丈。まさに伝説の言語学者である。その一部が柳原和子著『「在外」日本人』（晶文社）の中で紹介されている。この日から平湯先生のところに入り浸るようになった。

ここには、日本料理研究家で日本食材輸入業を営む中川昌彦さんもよく出入りしており、ことあるごとに一緒に飲んだ。元演劇人であり、舞台のことや小説の話になると熱く語り出すのであった。

日本とウクライナの交流に夢をかける青年

平湯先生とキエフの街を散歩していると、アルミ製のアタッシュケースを持った痩身の青年と出会った。ロマンチックな顎ヒゲをたたえている。日本政府から相談を受けて平湯先生がウクライナから初めて日本に送った二人の留学生の内の一人、アンドリイ君だ。もう一人の留学生はオリガさん。ウクライナ文学研究者・藤井悦子さんと一緒に『現代ウクライナ短編集』（群像社）を編訳した人である。

久しぶりの再会とあって、三人で近くのカフェに入った。アンドリイ君はいかにもインテリといった感じ。日本語が流暢で仕草から雰囲気まで日本人より日本人らしい。山口大学、早稲田大学などいろいろな日本の大学で学び、最後は京都大学大学院で経済博士号を取得している。計七年日本にいたという。京都で知り合ったロシア人女性、ターニャさんと一緒にキエフに一年前戻ってきたばかり。帰国後すぐ、キエフ大学の日本語教師となった。アンドリイ君が日本にいた時、平湯先生はアンドリイ君の両親に何度も呼び出され「息子をはやくウクライナに帰して下さい」とせっつかれたようだ。頭のいい一人息子の帰国を両親は望んでいたのだ。両親は医者。家族の多くは医者であり、アンドリイ君はどういう訳か一人だけ経済学者になったようだ。今では経済学者の枠を超え、東洋学者へと成長している。

アンドリイ君は一年してキエフ大学を辞め、在ウクライナ日本国大使館の嘱託職員となった。ターニャさんと二〇〇五年秋に結婚式を挙げ、いよいよ身を固め人生計画を練っているようだ。奥さんは「アヴァタラ・スタジオ」という日本を中心としたアジア雑貨店を開いたばかりである。二人はウクライナと日本およびアジアの交流に自分たちの夢をかけている。

キエフ初のなにわ言葉特別講座

アンドリイ君とのご縁でキエフ大学で日本語・日本文化の特別講座をすることになった。最初は日本の出版事情および日本社会について。予習として、私の記事（朝日新聞「なにわ職もよう」二〇〇二年九月十九日付）を家で読んできてもらい、それに基づいて質疑応答する形をとった。三回生二クラスで行ったが、生日本人との出会いに学生たちの目は輝いていた。その日から学生たちと仲良くなり、一緒にカフェやディスコに行ったり、旅行したり、日本ウクライナ文化交流協会のイベントを手伝ってもらったりするようになった。

次に、「なにわ言葉特別講座」を開いた。三回生二クラス、四回生一クラス。大学では共通語を習っているようで、なにわ言葉を初めて耳にする学生も多かった。「共通語では『行きましょう』ですが、なにわ言葉では『行きまひょう』となります。さあ、僕について全員で発音して下さい。行きまひょう。はい」と言うと、照れながらも一斉に「行きまひょう」と発する。「行きまひょう」「行きまひょう」と反復練習するのを聞きながら、大阪人としてこの上ない喜びを感じる自分を発見した。学生たちも日本語のバリエーションの多さに戸惑ったり喜んだりと大騒ぎ。いい刺激になったようだ。

三度目は「上方落語寄席」の前に予習として五回生一クラスで「落語、漫才講座」を開いた。落語、漫才の簡単な歴史と形式についての講座。ウクライナにも落語や漫才に似た芸があり、学生たちの飲み込みは予想以上に早かった。また、日本留学中に寄席へ行った学生もおり、よく理解してくれて話しやすかった。

日本人以上に日本人らしいウクライナ人

ウクライナ民俗学、とりわけ祖先崇拝をキエフ大学大学院で研究している大学時代の同級生がいる。片岡浩史君である。彼の博識にはいつも驚かされる。ウクライナ語も流暢。彼の紹介でカプラーノフ夫妻と出会った。ご主人のセルゲイさんはキエフ・モヒラアカデミー上級講師で日本文化が専門。特に神道、仏教に詳しい。日本だけでなくアジア全般をカバーしているウクライナで最も優れた東洋学者である。奥さんのオレーナさんは華道（池坊）の先生で、その上茶道にも通じており、キエフ茶道クラブ（裏千家）のメンバーでもある。どちらも日本語が堪能で肌理細やかな心遣いは日本人的。セルゲイさんは何度か日本に行っているが、オレーナさんは一度も日本に行ったことがないと聞いて驚いた。

ほかにも日本人以上に日本人らしいウクライナ人は結構多くいる。中でもナタリア先生は特別だ。日本ユーラシア協会大阪府連・梶間敦子さんの紹介でキエフに来てから出会ったのであるが、その流暢な日本語には舌を巻いた。長男の大学生、ボクダン君は彼女以上で、顔形はウクライナ人であるが中身は日本人そのままだ。義務教育を日本の学校で終えたというので、納得した。次男のステパン君は小学校に入ったばかりでまだおぼこく、やんちゃ盛りである。ナタリア先生は十五年ほど前、アメリカに渡るつもりで来日したが、様々な事情でそのまま日本に残ることになり、長年日本ユーラシア協会でロシア語を教えたり貿易の仕事をしながら大阪で暮らしていたようだが、思うところがあり一年前にウクライナへ戻ってきた。知的な美しさと上品さを持っている女性なので、大阪では人気のロシア語教師であった。大阪にいる時に知っていれば、ロシア語を習いに行ったのにと悔やまれてならない。

雪の降るメトロ

キエフのメトロ（地下鉄）には暖房が入っていない。おまけに雪が舞いこんでくる。キエフ中心部は地下にもぐっているメトロだが、中心から少し離れると地上に出る。途端に寒く、屋根付近の隙間から雪が入ってくる。初めは雪とは分からず何だろうかと不思議に思っていたが、大雪の日に激しく雪が舞いこんでくるのを見て、ようやく納得した。

メトロは安くどこまで乗っても一回約十円（五十カペイカ）。いつも満員。感心なのは、どんなにぎゅうぎゅう詰めの時でも、スリはいても痴漢は全くいない。ウクライナは女性を大切にする国。女性天国。女性が男性を襲うことはあっても、男性が女性を襲うことはまずない。男性が女性に手を上げることもない。ましてや痴漢などあるはずがない。それは男性として人間として最低の行為だとされている。

しかし、スリは多い。スリと並んで多いのが車内販売者、車内アーティストである。満員列車の中、本や絆創膏や日常雑貨を声高々に売り歩く。ギターや笛、アコーディオンを演奏しながらお金を求める。楽器なしで歌いながら歩く人もいる。老人や身体障害者、赤ん坊を抱いたジプシーの物乞いも多い。汚れたビニール袋を手首にかけて練り歩く。

乗客は慣れたもので嫌な顔一つせず、しらんふり。時折、心優しい人がポケットや財布から小銭を取り出して入れている。「明日は我が身だから入れるのよ」と言った人もいた。「情けは人のためならず」という諺そのままだ。このような人と出会う度に自分の良心が問われているようで、何だか息苦しくなる。これは私だけだろうか。

寿司バーが大人気

ウクライナでは日本の文化が大人気。街を歩く女性の頭を見ると、塗り箸を簪（かんざし）としてつけていることもしばしば。漢字をデザインしてプリントしたTシャツを着ている若者もよく見かける。だが、日本と中国、韓国のモノを区別することはできないようだ。よく見ると日本風ではあるが中国のモノばかり。

日本文化の中で最も人気なのが食文化。とりわけ寿司。「スシ」はウクライナ人の間で誰もが知っている単語となっている。寿司バーはキエフだけで五十軒以上ある。ハルキフ、ドニプロペトロフスク、オデッサ等にも数軒ある。ウクライナ全体で日本人が百人程度という。その数と同じほど寿司バーがある。私もいろいろな店に入ったが、工夫を凝らしてなかなかよく頑張っていると思う。魚は冷凍でアメリカから輸入しているという。米はカリフォルニア米やエジプト米。店で食べていると、店長が恐る恐るやって来て「お寿司の味はいかがでしょうか?」と尋ねてくる。日本を代表して「ご飯をもう少し柔らかく炊いた方がいいですよ」などとアドバイスする。私のアドバイスはありがたいようで、次に訪れた際にはきっちりその通りに改善されてある。こういった対応はとても嬉しく快い。

寿司と並んで人気なのが、天婦羅。からっと美味しく揚がっている店、そうでない店などまちまち。焼き鳥も好まれている。味噌汁もウクライナ人には合うようだ。

寿司バーには日本のビールもある。どういう訳か、ほとんどがアサヒ・スーパードライである。そのスッキリした喉越しが魅力のようだ。梅酒も愛されている。クリミアワインやカルパチアワインなど甘いお酒を好むウクライナ人。彼らの舌には、ほんのり甘酸っぱい梅酒はぴったりくるのである。

ウクライナでは健康が一番

国立病院は社会主義の正の遺産で基本的に無料である。薬代のみ実費。国が国民を守っているという訳であるが、実情はかなりひどい。病院の建物、設備は老朽化している。病室の窓ガラスは隙間だらけ。入院患者がガムテープなどを買ってきて、風が入らないよう工夫しなければ寒くておれない。

医療は薬中心主義。知人が入院したのでお見舞いに行った。腰痛で入院したのにも関わらず、毎日平均点滴を五本、注射を五本打たれていた。病室で点滴や注射を打ってくれるのはいいが、終わった注射針や薬品の空瓶はサイドテーブルの上にほったらかし。

最も驚くべきことは、患者自ら医者の処方箋を持って薬、注射、点滴のセットを薬局に買いに行かなければならないが、病院内の薬局にない場合が多い。あっても高い。患者が自ら安い薬局を探して病院の周辺を彷徨う。家族がしてくれる人はいいが、仕事で忙しかったり、身寄りがない場合は悲惨。手術の際も、患者自らメス、針、糸、注射、麻酔薬等を揃え医者に渡した上で行われる。病院には用意されていない。十分時間的余裕がある時はいいが、事故などで急を要する場合は諦めるしかない。

このような国立病院に対して、私立病院のサービスは格段にいい。国立病院の一フロアーを借りて私立病院を開業していることがよくある。その扉を開くと、ふかふかの絨毯が敷き詰められ、綺麗な壁紙、眩しいほどの照明、金魚の入った水槽、最新の医療設備、若くて美人の看護婦、優秀な医師が待っている。しかし、費用は一般庶民には到底手の届かないものである。

ウクライナでは健康が一番。これは誰もが持っている、いや持たざるを得ない思いである。

日本とウクライナの架け橋

ウクライナには日本語・日本文化を学ぶ人が結構いる。キエフ大学、言語大学では日本語専攻の学生がそれぞれ百人ぐらいいる。在ウクライナ日本国大使館の運営する日本センターでも数十人が日本語を学んでいる。キエフ・モヒラアカデミーには日本文化の講座がある。卒業生の全員が全員日本語に関する仕事に就くことはないが、日本語を学ぶ人口は益々増える傾向にある。

日本のことを紹介するウクライナのサイト（http://www.japanese-page.kiev.ua/）も誕生した。Dreams Come True Foundationが運営しており、日本語、ウクライナ語、ロシア語、英語の四ヵ国語で構成されている。ウクライナにおける日本の情報をすべてカバーしている便利なサイト。基金長のアレクセイさんは、「日本とウクライナの架け橋になりたい」と夢を熱く語る。

日本語は話せないが、音楽や芸術を通して日本と交流している人たちもいる。ソプラノ歌手、アリョーナさんは二〇〇五年に日本でコンサートを開き、その力強く透き通った声で日本人の心を捉えた。画家で美術評論家のオリガさんは日本で個展を開き、開放的で鮮やかな色彩の絵で日本人の目を釘付けにした。どちらもムーザ文化交流協会の主催。代表の片山ふえさんは大阪外国語大学卒業後、ロシアやウクライナの本を翻訳したり文化交流を行ったりしている大阪を代表する文化人の一人。彼女の行動力と才覚でこのような日本とウクライナの文化交流が次々と実現している。

また、平湯拓先生の仲立ちでキエフ国立フィルハーモニー交響楽団の日本でのコンサートが二〇〇五年に実現したりと、多くの音楽家、芸術家が日本を訪れている。

キエフ郊外に本格的な日本庭園

日本好きが高じて自分で日本庭園を造っているウクライナ人もいる。設計は建築家の西岡武祐さん。ウクライナのある富豪が大の日本好き。日本を何度も訪れる内に、ウクライナに本格的な日本庭園と日本家屋を造りたくなった。

そこで白羽の矢が立ったのが、西岡さん。はじめは、気候風土や環境が全く違うウクライナで日本庭園や日本家屋を造ることにためらったが、施主の熱意と自分自身の好奇心で引き受けたそうだ。予想通り困難に続く困難。日本は高温多湿の国のため、家屋は隙間を多くしている。そんなことをウクライナでしようものなら冬は寒くて、いくら暖房をかけても追いつかない。また、日本から持ってきた木が、乾燥しているウクライナではかなり扱いにくい。その他にも、問題に次ぐ問題。

問題はそれだけでない。働く人の意識のズレには参ったようだ。施主の意向により日本人大工とウクライナ人大工を使っての仕事となったが、ウクライナ人は思うように働かない。何度言っても同じ過ちを繰り返す。無理もない。ウクライナ人は誰でも日曜大工ができ、それをもって「自分は大工である」と名乗る人が多い。建築を始めるに際して人材を集める。集まった人のほとんどは日曜大工の名人で、プロとは言いがたい。そんな大工の集団なので、思うように仕事が進まないのは当たり前。また、国立病院と同じく大工はノコギリや金槌などといった道具を持ってこない。釘やボンドにいたっては言うまでもない。すべて責任者である西岡さんが揃え与えなければならない。気の遠くなるような努力だ。

そんな努力が実ってようやく棟上が終わった。完成の日も近い。出来上がりが楽しみだ。

ウクライナには迷信がいっぱい

昔からウクライナには迷信がいっぱいある。それは現在でも生き続けている。例えば、ウクライナの日常生活でよく行われる握手。注意しなければならないことは、玄関越しに絶対してはならない。そうすれば仲間割れするとされている。車の中と外でも握手はしない。他にも、家の中での口笛も厳禁。お金が無駄に出て行くという。

「これからいいことが起こりますように」と祈る時、身近にある木製のもの（テーブルなど）を握りこぶしの先で三回叩く。嫌なことから逃れる際にもこの方法は使われる。また、特に嫌なことに直面した場合は、両手の親指をそれぞれの人差し指と中指に挟んで隠す。

黒猫に遭遇した場合のおまじないもある。黒猫は不吉なことが起こる前触れ。前を通るだけで大変だ。その際には、素早く自分の左肩に三回唾を吐きかける。そうすれば、厄介なことが起こらないと信じられている。左肩には悪魔が、右肩には天使がいるという。悪魔祓いである。

同じ生理現象を違った解釈をするのも面白い。話をしていてクシャミをすると、本当のことを言っているということになる。日本ではクシャミをすると、どこかで自分の噂話をしているというが、ウクライナでは真実の象徴である。

迷信ではないが、乾杯においてもいろいろある。ロシアもそうだがウクライナも乾杯の好きな国。パーティーなどでは数分おきに誰かが簡単な挨拶をして乾杯する。一回目の乾杯は出会いや健康に対してが多い。二回目は友情に対して。そして、三回目は愛に対してである。グラスを左手に持ちながら。

武道を通して日本文化を紹介

お茶、お花、書道、折り紙などの日本文化はずっと以前からウクライナで紹介されており、しっかりと定着している。問題なのが日本の武道である。礼儀や心の問題を抜きにして、ただ単に格闘技としての武道を取り入れ紹介しているところがほとんど。柔道、剣道、合気道、空手など何でもある。しかし、その内容に首を傾げたくなるものも多い。

そんな中でキエフ合気道武道連盟は本当の武道を伝えようと日々地道な活動を続けている。会長の黒木高志さんは「武道を通じて日本文化を紹介し、日本とウクライナの文化交流に努めたい」と熱く語る。五年前単独でウクライナに入り、合気道を教え始めた。最初は様々な困難があったが、今では弁護士として活躍するウクライナ人女性、ナタリアさんと結婚し、後ろ盾などもついて安定している。合気道だけでなく居合道など武道全般を教えている彼の下、真摯な態度で稽古に励む弟子も着実に増えている。ウクライナだけでなくロシア、チェコ、ポーランドにも足を延ばし武道の紹介・普及に務めている。

合気道の稽古に励むウクライナ人たち。キエフ大学留学中の横山陽子さん（右）も混じって特訓中

カクテル天国

ソ連からの独立後、ウクライナには自由の風が吹き込んだ。さらに、二〇〇四年のオレンジ革命。若者たちは自由な空気を楽しんでいる。昼は映画やボーリング、そしてカフェでのおしゃべり。夜になると、ディスコ、バーなどに押しかける。木、金、土の夜は特に賑やか。ディスコではトランス系の音楽が主流。激しいリズムと眩しい照明の中、踊りまくる。バーではビリヤードも人気。

酒の文化も変わりつつある。年配者はウオツカを一気飲みするだけだが、若者たちはそれに加えてカクテルを楽しむ。特に女性はウオツカだけ飲むのを好まず、カクテルを頼む。「B—52」が一番人気。きつくて甘いカクテルに火をつけ、炎の燃え盛るグラスにストローを突っ込み一気に吸い込む。その後の心地よさがたまらない。「ヒロシマ」というカクテルもある。「B—52」と同様の飲み方をするカクテルだが、原子爆弾を思わせる彩。日本人としては複雑な気持ちだが、ウクライナでは受けている。

極めつけは「バンジート」である。「バンジート」とは強盗を意味するロシア語。客はカウンターの上に腰かけ、仰向けになって倒れる。バーテンダーが身体を支えてくれ、「口を開けてください」と促す。開けた途端、口の中にテキーラやレモン汁を流し込む。口を閉じさせ、頭を両手で掴み左右に振り出来上がり。何ともダイナミックなカクテルで、初めて体験した時は何が起こったのか分からず混乱する。しかし、後味はとてもよく爽快。もちろんビールやワインなどもあり、若者たちに好まれている。

カリヤンという水煙草も若者たちの間で人気がある。水の中にメロンやオレンジの香りを入れ楽しむ。ミックスもいい。また、水の代わりにミルクを入れてもなかなかいける。

日本山妙法寺の僧たち

二〇〇四年春、大阪で文化活動をしているいずみ苑主宰・泉佳保子さんの紹介で、寺沢潤世さん、それにウクライナ人僧、セルゲイさんと出会った。場所は四天王寺真光院の本堂。寺沢さんはウクライナ中を歩いて仏教を伝えている日本山妙法寺の僧。四天王寺第百五世管長・瀧藤尊教猊下を慕ってここにやって来た。寺沢さんの努力が実ってウクライナには数人の僧がおり、キエフ、ドネツク、ルガンスクにはお寺もある。セルゲイさんはその内の一人で、その時は寺沢さんと一緒に日本を歩いて回っていると聞いた。二人の目の美しい輝きが印象的だった。

キエフに来て早速お寺にお邪魔した。熱心に「南無妙法蓮華経」とお経を唱えるウクライナ人僧たち。その真剣な姿は美しく尊い。そこにはセルゲイさんもいた。

寺沢さんは忙しく方々を飛び回っているようでなかなか会うことができなかったが、何回目かの訪問の折、ようやく再会できた。そして、これまでの波乱万丈の人生を聞かせてもらった。

「ずっと入国拒否されていましたが、ユーシェンコ大統領のお陰でウクライナに自由に入ることができるようになりました」と語る寺沢潤世さん。右はセルゲイさん

ウクライナの中の弱者

高度経済成長の真っ只中にあるウクライナ。キエフでは建設ラッシュ。どこを歩いても高層ビルの建築中。金持ちはどんどん金持ちに、貧しい人はどんどん貧しく……。格差は驚くべきもの。その中で取り残されているのが弱者。老人たちの年金は雀の涙程度。街角では物乞いをする老人をよく見かける。手の不自由な人、足の不自由な人、いわゆる障害者といわれる人びとの保護もまだまだで、暮らしが苦しい。痛々しい身体を引き摺りながら地下鉄の駅で物乞いをする彼らを見る時、憐憫の情というより社会保障制度の確立を願う気持ちが先に立つ。

カフェなどでお茶を飲んでいると、青年がキーホルダーを各テーブルに置いて回る光景によく出くわす。キーホルダーと一緒にメモをつけて。そのメモにはおおよそ次のようなことが書かれてある。「私は耳が聞こえません。どうぞ助けてください。この小物を買って下さい」。心ある人はテーブルに指示されたお金を置いてキーホルダーをもらう。しかし、ほとんどの人は無視。青年は寂しそうにキーホルダーとメモを回収する。

地下鉄の列車の中でこんなことがあった。余り混んでいない列車。青年が例のキーホルダーとメモを乗客の横に置いて回る。やはりほとんどの人が無視したが、聖書を広げている一人の婦人が青年の手を握り締めその瞳を覗き込み、祈るようにしてお金を渡した。この場面を見たとき、その婦人の美しい心に打たれた。そして、自らの心を恥じた。それからも何度かこれによく似た光景に出くわした。その度に、ウクライナは捨てたものじゃないと確信を持つようになっていった。

一番賑やかな月、五月

一年の中で一番賑やかな月は五月。パスハ（復活祭）でお祝い気分が高まる。年によって日にちが違うが、二〇〇五年は四月三十日の夜中から五月一日までがその日に当たった。籠にパンや果物を詰め込んでキリスト教会へ参拝に行く。教会に集まった人びとに対して、偉い僧が祈りながら祝福の水をかける。祝福の水のかかったパンや果物を人びとは大事に持ち帰り、一年間の無病息災を願いながら食べる。

戦勝記念日の行進

五月九日は戦勝記念日。朝から町中大賑わい。無名戦士の墓はたくさんの花で埋め尽くされている。元軍人の老人たちが軍服を着て胸に勲章を吊れるだけ吊り、誇らしげに歩いている。独立広場から大祖国戦争歴史博物館までの行進が延々と続く。日本の八月十五日とは大違い。勝った国と負けた国の違いを肌で感じる。半世紀以上経った今でもこんなに盛大に盛り上がるとは予想の外であった。

二〇〇五年の五月はキエフでユーロ・ビジョンがあったので、さらに賑やかな月になった。ユーロ・ビジョンとはヨーロッパ音楽祭。毎年違う国で行われる。二〇〇四年はウクライナの歌手、ルスラナが優勝したため、二〇〇五年はウクライナとなった。ヨーロッパ中からミュージシャンやファンが集まり、大いに盛り上がった。

ドニエプル川遊び

突然冬から夏へ変わる。また突然夏から冬へ変わる。それがウクライナ。夏になると、一斉に緑が芽吹き、街が美しく変身する。冬の真っ白の風景も趣があっていいが、何といっても夏のウクライナは最高。空気が乾燥しているので、日本のような湿気の多い国に比べてそんなに暑くなく過ごしやすい。

ドニエプル川で寛ぐ女の子たち

キエフの人びとは、夏になるとドニエプル川遊びを楽しむ。ウクライナの母なる大河であるドニエプル川。川辺には身体と心を安めに多くの人が集まる。水着を着けず全身で太陽の恵みを受ける若い女の子たち。エネルギーを発散し泳ぎに泳ぐ若い男の子たち。心地よい水と楽しく戯れる子どもたち。これまで歩んできた人生を懐かしみながら語り合う老夫婦……。

川には遊覧船も走っており、人々はゆっくりとした時間を船の上でも楽しむ。夜になると遊覧船はディスコとなり、涼しい風に吹かれながら若者たちは踊りはしゃぐ。

そんな人びとをドニエプル川は優しく包み込むように見守っている。

夏の風物詩、クワス

短い夏をウクライナの人びとは謳歌する。いつまでも日が沈まない夏。夜になったと思うとすぐに日が昇る夏。夏になると、街にはオープン・カフェが立ち並び、店内で飲食する人は少なく、外で長い時間お喋りしながら飲んだり食べたりして涼む。ドイツからの影響だろう、ビールはとても美味しく、しかも安い。特にフィルターを通していない濁りビールは最高。喉越し、何ともいえない香ばしい味わいはウクライナでしか味わえない。何杯飲んでもアキがこないから不思議だ。

街角には黄色と青色で彩られた小さなタンク車が至る所に現れる。タンクの中には冷たくて美味しいクワスが入っている。クワスとはビールになる前の麦芽ジュース。茶褐色で微炭酸。甘酸っぱくてごく微量のアルコールが含まれている。人びとは好んで飲む。まさに夏の風物詩である。日本の麦茶に近い存在。古くからスラブ人が好んできたジュースで、もともとは各家庭で作られていた。今でも田舎に行けば家庭で作られているが、キエフなどの都会では専門の工場で大量生産され、タンク車に詰められて販売されている。

クワスは単に飲むだけでなく、冷やしスープとしても使われる。深めの皿に細かく切ったキュウリやゆで卵を入れ、その上からクワスをかける。暑い夏、食欲がなくてもすっと喉を通る。後味もさっぱりしてたまらない。日本のそうめんや冷麺に近い存在。

夏にクワスがないと落ち着かない。クワスは夏の恋人といった感じで、なくてはならないもの。暑さから解き放ってくれる美しく優しい存在である。

日本の漫画・アニメが大流行

クリスタルパワーのメンバー。左から２人目が代表のサンドラさん

ひょんなことから漫画・アニメクラブ「クリスタルパワー」のメンバーと仲良くなった。大きなイベントがあると、必ず招待状が届く。何度か参加するうち、顧問となった。

最初に参加した時は驚いた。メンバーの多くがセーラームーンやもののけ姫に扮しているではないか。壁には日本の漫画やアニメのポスターが一面に貼られてある。アメリカのものもあるが、ほとんどが日本のもの。宮崎駿などは憧れの的である。

イベントでは日本のアニメソングを激しい踊りとともに歌う。代表のサンドラさんは二の腕に「あなたの胸」と刺青まで彫っているほどの日本びいき。サンドラさんはじめメンバーは皆日本語はできないが、アニメソングは日本語で上手に歌いこなす。

メンバーの多くは女子学生。男子学生は少ない。しかし、共通のテーマをもつ彼らの結びつきは強く、とても仲が良く和やかな雰囲気だ。

親切なトイレおばさん

トイレの入口には必ずと言っていいほどおばさんが座っている。門番である。そこでお金を払って中に入る。おばさんの前にトイレットペーパーが用意されている。必要な分だけ引っ張って千切り中へ持ち入る。おばさんはどのぐらいの長さを引っ張るのか注意深く見ている。その目を気にして、必要な分より短く千切ってしまう。親切なおばさんになると、あらかじめ一回分のトイレットペーパーを千切って束ねて置いてある。それが本当に短い。これで全て拭いきれるのかというほどの短さ。小さな親切、大きなお世話と呟きたくなる。

おばさんは終日トイレで暮らしている。ベッドもちゃんとあり、そこで眠る。食事もトイレの中でしている。食事をしているおばさんに何度も遭遇した。一度などは大きな平皿にご飯がのってあり、その上から土色のスープがかかっている。それを薄汚い猫と一緒にペロペロ食べている。それを見たときは、さすがに眩暈がして引いてしまった。

公衆トイレの場合は和式のものが多い。入口に向いてしゃがみ大便をする。前も横もドアのないところが多く、髭面のおじさんが四、五人並んでしゃがんでいる図は見事。写真を撮りたくなるほど。便器の水は流れにくく、排泄物がそのまま残っているところが多い。ウクライナ人の肛門は大きいのか、とてつもなく太い排泄物をよく見る。見たくなくても目に入る。

綺麗なショッピングセンターなどのトイレは洋式の便器が主流。だが便座がなく、中腰の姿勢で用を足さないといけない。便器の上に乗った形跡を見たこともある。子どもは足をかけて用を足すのだろう。

カナダからやって来た日本人コサック

インターネット、とりわけミクシィを通じて仲良くなった友人が何人か私を訪ねてキエフにやって来た。中でもカナダからやって来た佐久間修一さんはインパクトが強かった。カナダ、アメリカ、オーストラリアなどにはウクライナ人移民が多く、ウクライナ人集落ができている。カナダは特に結束力が強く、ウクライナ語の新聞・テレビ・ラジオなどもあるという。カナダに住む佐久間さんはウクライナ文化に魅せられて、仕事の合間を縫いコサックダンスやバンドゥーラというウクライナ民族楽器の練習に励む。既に素人の域を超えて、カナダの舞台などでも活躍中。

日本人コサック、佐久間修一さん。
リヴィウで求めたバンドゥーラとともに

やはり本場のウクライナに行かなくてはという気持ちが高まり、お金を貯めてウクライナにやって来たという訳だ。キエフに着くや否やコサックダンスのレッスン。そして、リヴィウに赴きバンドゥーラのレッスン。精力的に動く彼の姿は輝いていた。テレビや新聞などでも大きく取り上げられ、日本人コサックとしてウクライナで一躍有名になった。

第二章　ウクライナ文化の源流に触れる

ウクライナの文化を象徴する祭、イワナ・クパラ

ウクライナにキリスト教が入ったのは九八八年。それ以前には、日本と同じように多神教があった。その多神教を復活させて、ウクライナの伝統文化を取り戻そうという動きがある。かなりの数だが、まだはっきりと掴めていない。グループもたくさんある。その中で最も大きいグループの祭りに参加した。祭りは「イワナ・クパラ」と呼ばれる。ドニエプル川辺で夕方からゆっくり始まる。メンバーは皆ウクライナの民族衣装を身に着けていた。夏至の日に、男と女の最初の交わりを象徴する祭りである。クパイロという男の人形、マレーナという女の人形を木で作り立てる。マレーナは装飾が施され綺麗。実際、祭りに参加する乙女は自分で花を摘み、帽子を作り被る。何とも華やかで美しい。

まず最初に草原に輪になって集う。輪の中心にはリーダーとサブリーダー二人が立っている。火をたき、太陽に向かってお祈りする。角に入った乳製品を火にかけ、続いて大きな丸いパンを火の中に入れる。そして、丸くて平べったい銀の器に入った甘い乳製品を回し飲む。三度口をつけて。

儀式の後、皆で手を繋ぎ場所を川辺に移す。そして、直会。ワインやビールと一緒にジャガイモ、キュウリ、トマト、鶏肉など手作りの料理に舌鼓を打つ。

しばらくして、男たちが小さな柳の木を植える。その枝に、乙女たちが布やサクランボや蝋燭をくくって飾り付けをする。飾り付けする乙女たちを、男たちは担いだり、肩車したり、大騒ぎ。それが完成すると、遊びになる。まず、男と女が別れて一列に手を繋ぎ、歌を歌いながら男と女を取り合う。例えば、男

側から指名された女は、走っていって男側の後ろに突破する。突破できれば成功で、元に戻ることができる。成功しなければ、男側に取り込まれてしまう。逆のケースもある。この遊びを見ていて、「箪笥（たんす）長持ち、どのこが欲しい～」という日本の遊びを思い出した。同じようなことを人間はするものだ。その後も日本と同じような遊びが続く。

遊びの後、また場所を草原へ移し、火を真ん中にして輪になって自然に対して祈る。その後、再び川岸に戻り、そこでも火を真ん中にして輪になる。リーダーとその奥さんが丸くて大きなパンを一人一人の前へもって行く。メンバーはそのパンに手を乗せ、お願い事をする。全員が済むと、そのパンを火の中へ入れる。この儀式は厳かに行われる。

終わった途端、賑やかになるのが面白い。男たちは女の人形マレーナを担いできて、男の象徴である火の中へ入れる。それを阻止しようとして、女たちは必死。その後、女たちは男の人形クパイロを担いで、女の象徴である水の中へ入れる。つまり、ドニエプル川に流す。

その後、乙女たちは自分の花帽子に蝋燭を載せ、川に流す。この頃になるとあたりは暗くなっている。男たちは泳いでその花帽子を取りに行く。お目当ての乙女の花帽子を取り岸へ戻り、その花帽子を乙女に手渡す。もし、その花帽子を乙女がその男の頭に載せ接吻すると、結婚の約束が成立である。何ともロマンチックな儀式である。その儀式を盛り上げるため、柳に取り付けられた蝋燭に火を付ける。

程なくして、大きな車輪に火をつける。布を巻きその上から草や花で美しく飾ってある車輪。油をかけているので、よく燃える。その大きな車輪に棒が通されていて、両方で男が持ち、川岸まで回転させながらもって行き、川に沈める。男の象徴である火と女の象徴である水の結合を意味している。

今度は、飾りつけた柳を皆で滅茶苦茶に壊す儀式。創造と破壊。興味深い。ちょっと違うが、チベット

火渡りをするリーダー夫妻

の砂曼茶羅を思い出す。砂曼茶羅も作って壊す……。滅茶苦茶に壊し、その枝を各自持ち帰り、次の年まで大切に守る。

最後に火渡りの儀式。燃え盛る焚き火の上を飛んで跨ぐ。各自三回繰り返す。日本にも、僧の修行で火の上を歩くものがあるが、ウクライナは歩くのではなく、飛び越える。

これで一連の儀式がすべてなされたことになる。後は、朝まで歌ったり踊ったりの大騒ぎ。ウクライナの文化を象徴する祭りである。

第三章　日本ウクライナ文化交流協会の活動

キエフ特別茶会

キエフに来て半年が過ぎた二〇〇五年七月。日本ウクライナ文化交流協会の一つ目のイベントを開いた。「キエフ特別茶会」である。お手前は表千家教授・大東冨美江さん。私の母、登美子の友人。スタッフとして母も付いてきた。さらに頼りになるスタッフ二人も一緒に。元職場の同僚、橋本咲代さんと髙岡千春さんである。四人は同じ六十歳前後なので気が合って、わいわいがやがや楽しそうにキエフへやって来た。さすが大阪のおばちゃんである。そのパワーに久しぶりに圧倒された。

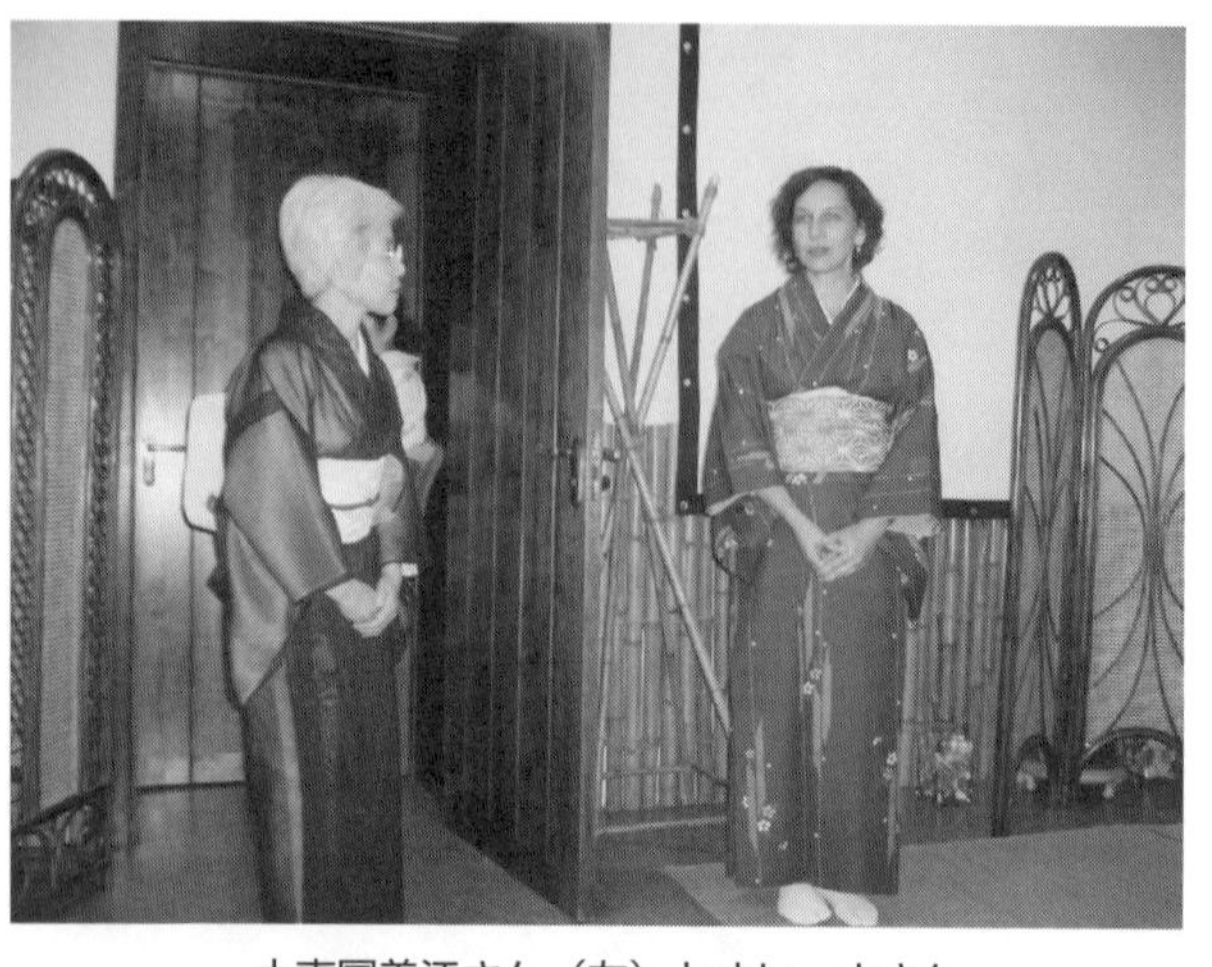

大東冨美江さん（左）とオレーナさん

会場はキエフ市内にあるお茶倶楽部を使わせてもらった。普段ここは中国茶を提供している洒落た空間であるが、特別に一番広い部屋を用意してくれた。解説は華道（池坊）の先生、オレーナさんがあたってくれた。スタッフは皆着物や浴衣を着て雰囲気作りをした。会場には日本、日本文化に関心を持つウクライナの人が約三十人集まり、熱気溢れるお茶会となった。

まずはじめに大東さんが挨拶をしオレーナさんがウクライナ語に訳した。続いてオレーナさんが茶道に関する解説をした。お茶の歴史から始まって、日本文化における茶道の位置、作法など全般にわたる詳しいものだった。オレーナさんの主人、セルゲイさんは日本文化の専門家であるため、前もって二人でどのような解説をするのか話し合い用意してくれた。その立派な解説は日本人顔負け。オレーナさんが解説に詰まりそうになると、横から優しくセルゲイさんがフォローした。

解説の後、大東さんがお手前を披露。本格的なお茶会に初めて参加する人ばかりで、わびさびの世界を息を呑んで見ていた。カメラ撮影をする人も多く、ウクライナの人々にとって、茶道はまさに神秘の世界のようだ。お茶菓子を口にし、お茶をすすりながら、その独特な味わいに心打たれ、陶酔状態に浸っている人も少なくなかった。

お茶会の後質問時間を設けたところ、様々な質問が出た。「日本人はお茶をどのような気持ちで飲むのですか?」「お茶にはどのような効能がありますか?」から始まり「正座を長くしていて足が痛くないですか?」といった砕けた質問まで。

帰り際に大東さんにサインを求める人、一緒に記念撮影する人など多く、いつまでも名残惜しんでいた。

accoピアノリサイタル〜日本からやって来た妖精

キエフ特別茶会が終わり、一息つく間もなく次のイベントを開いた。「accoピアノリサイタル〜日本からやって来た妖精」。acco（あっこ）とは関西を中心に活躍するピアニスト、榊原明子さんの芸名。

ピアノリサイタルの日は早朝からとても忙しかった。「M―1」というウクライナの有名なテレビに生出演した。「グーテンモルゲン」という音楽番組。朝八時四十分から約十五分間、accoさんのCDをバックミュージックにしながらインタービューを受けた。出演は日本から来た妖精ピアニスト・accoさん、Dreams Come True Foundation 基金長の万年青年アレクセイさん、作務衣姿で変なロシア語を喋る私の三人。話題は日本人の夏の過ごし方から始まり、accoさんの音楽に対する思いなど多岐にわたった。視聴者からの質問コーナーもあり、大いに盛り上がった。この放送はウクライナ全土はもとより、ロシア、ヨーロッパにも流れており、約三千万人が見ているようだ。

この夜、キエフの最高級レストラン「リプスキー・アソブニャク」でピアノリサイタルを開いた。ピアノはドイツ製のグランドピアノ。演奏曲はaccoさんの自作曲を中心に次の通り。「風の予感」「サバクノサカナ」「star child」「ルンルン」「Distance」「忘れられた思い出」「一日の終わりに」「森」。日本の有名な曲「七つの子」も披露。また、accoさんがウクライナに興味を持つきっかけとなったウクライナの曲「我がキエフ」も力強く弾いた。キエフのことを思っての即興曲、参加者への感謝をこめての即興曲もあり、サービス満点。アンコール曲としては「子供の十字軍」を披露した。

約五十人の参加者は皆、日本からの妖精ピアニストの弾く繊細で心癒すメロディーに心打たれ、うっと

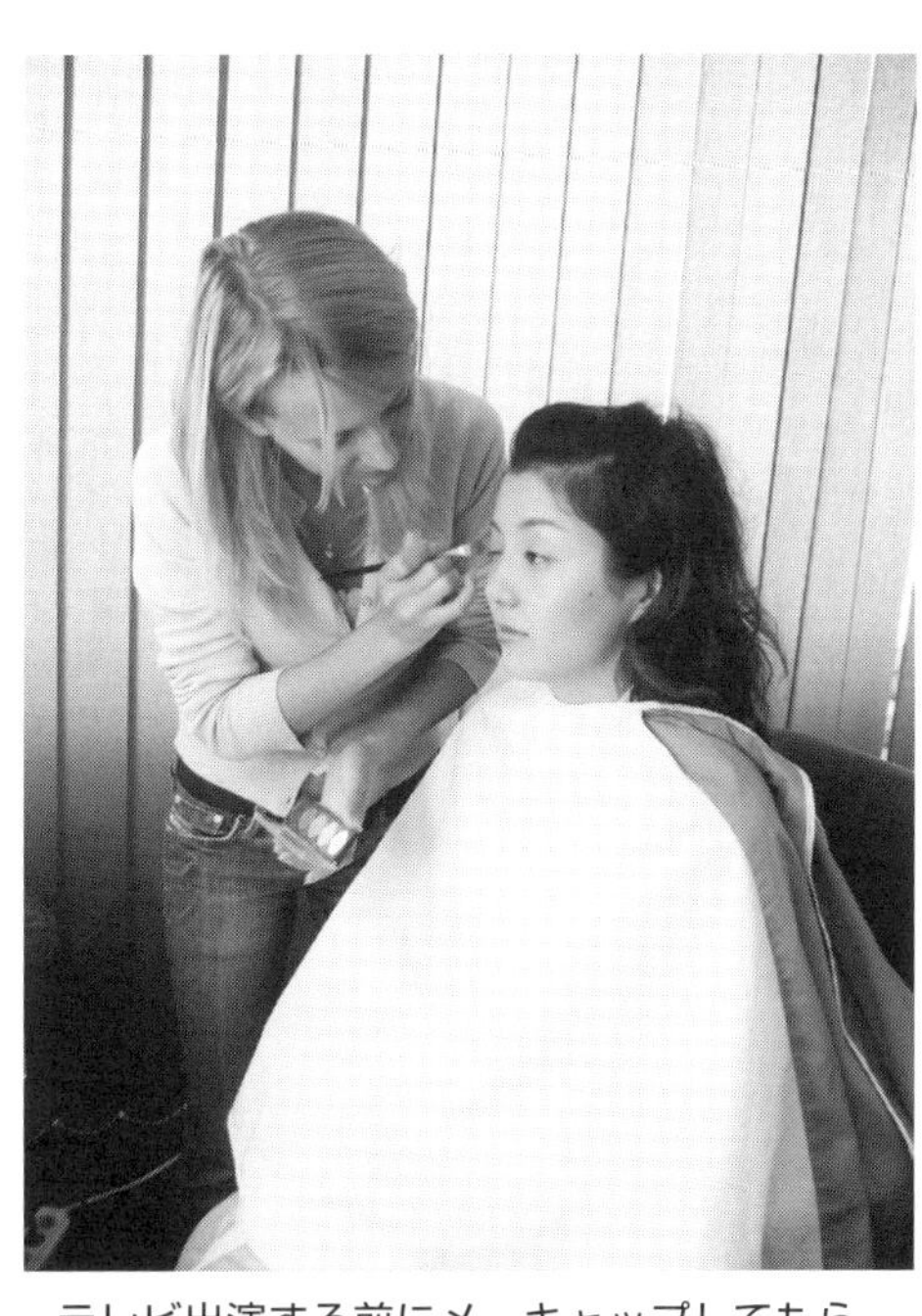

テレビ出演する前にメーキャップしてもらう acco さん

りとして聞いていた。

今回一番難しかったのが会場探しであった。日本ではレストランやバーなどによくグランドピアノがあり、バックミュージックとして弾かれている。また、よくコンサートなども行われている。その調子でキエフのレストランを探したが、なかなか見つからない。音楽を演奏して聞かせるレストランは多いが、全て持ち運び用の電子ピアノを使用。普通のピアノが置いてあるレストランも一つあったが、グランドピアノではなく、縦型の簡単なもの。結局、グランドピアノがあるレストランは「リプスキー・アソブニャク」だけであった。いろいろな人の話を聞くと、ソ連時代、ウクライナでグランドピアノのコンサートはコンサートホールのみであった。もっともレストラン自体がそんなになかった。あっても食堂だ。食堂には当然ピアノは置けない。その名残で今でもグランドピアノがあるレストランは稀だという。もしかして私の調査不足で「リプスキー・アソブニャク」以外にもグランドピアノのあるレストランが存在するかもしれない。しかし、足が棒になるほどキエフ中を歩き回って探してもなかったので、あってもごく稀だと思う。

桑田守喜ギターリサイタル、辻慶樹ことば&書のふれあい展

十月に入ってすぐ「桑田守喜ギターリサイタル」を開いた。桑田守喜さんはクラシックギターの名手。関西で活躍中の実力派。

キエフと西ウクライナの中心都市、リヴィウで行った。キエフではキエフ大学とレストラン東京。それにミニリサイクルをウクライナ民族音楽学校、ハネンコ記念美術館で行った。リヴィウでは大学二校。一週間の滞在で計六回も開いたことになる。

キエフ大学では大講堂で催したところ、キエフ大学、言語大学の学生を中心に約百人の参加者があり、大盛況だった。自作曲を中心に七曲を披露。参加者はその美しくて繊細なメロディーに心打たれていた。その後、食堂で懇親会を開いたのだが、女子大生に囲まれて桑田さんは笑みが絶えなかった。キエフ大学でのリサイタルのあった夜、ウクライナ民族音楽学校へ行きミニリサイタルを開いた。

次の日は日本食レストランの老舗「レストラン東京」でリサイタルを開催。ここのマネージャーであるアンドリイ君とは日本料理研究家の中川昌彦さんの紹介で知り合った。彼は合気道を習うなど日本文化に対してとても興味を持っている。ある日、飲みながら「うちのレストランで何か日本のイベントをしてくれないか」と相談を受けたのがきっかけで、この日に至った。会場には漫画・アニメクラブ「クリスタルパワー」のメンバーや仙文化センターのメンバーら数十人が集まり、キエフ大学とはまた違った趣のあるリサイタルになった。司会はキエフ大学学生のビクトル君とマーシャさんが当たった。

レストラン東京には小さなギャラリーがあり、ギターリサイタルに併せて「辻慶樹ことば&書のふれあい展」を一週間にわたって開催した。辻さんの独特の書は温かくて人の心を癒す力を持っている。また、

ことばは「ええとこもあかんとこもまるごと好っきやねん」「独りやない仲間がいっぱい」「人生まだまだこれからや」など大阪弁のユニークなものばかりで、日本語を学ぶ学生たちは喜んで見ていた。

画家・オリガさんの個展がハネンコ記念美術館で開かれるというので、桑田さんとオープニングに参加したところ、ぜひギターを弾いて下さいということになり、急遽ミニコンサート開催。突然のことだったが、桑田さんは落ち着いたものですぐに精神統一し、演奏を開始した。その後、リヴィウ行きが決まっていたので、電車に飛び乗った。

リヴィウでは日本語の先生、イゴルさんがすべて世話をしてくれた。早朝に電車でリヴィウ駅に到着した我々を出迎えてくれ、一つ目の大学へ案内してくれた。数人のこじんまりした日本語のクラス。そこで特別授業としてギターリサイタルを開いた。小さい教室だったが、「ここでの演奏が音響的にも学生たちの聞く姿も一番良かった」と、ウクライナを発つ時桑田さんは話していた。引き続き、二つ目の大学へ。ここは数十人の大きな日本語のクラス。熱心に演奏を聞く学生たちの姿を見ながら、夜通し寝台列車に揺られながらここまで来て良かったとしみじみ思った。

キエフ大学で演奏する桑田守喜さん

上方落語寄席～姉様キングス（桂あやめ＋林家染雀）

少し肌寒くなった十一月の半ば、「上方落語寄席～姉様キングス」を開いた。ウクライナで落語会が行われるのは初めて。関西を代表する落語家、桂あやめさんと林家染雀さんがやって来てくれた。二人は音曲漫才ユニット「姉様キングス」としても有名。四天王寺本坊客殿で「キエフでの文化交流実現のための集い・イン・上町台地」を開催し、二百人以上の参加者があり、我々を応援してくれた。出演は姉様キングス、西俣稔さん（チャンゴ）、桑田守喜さん（クラシックギター）、菊本恭子さん（ヴァイオリン）、浜野千津さん（ピアノ）、相澤淳子さん（歌）、ａｃｃｏさん（ピアノ）。キエフでは落語と一緒に音曲漫才を披露してもらうこととなった。音曲漫才はもとより漫才自体ウクライナで披露するのは初めてとあって、我々は準備に準備を重ねた。私がキエフ大学の日本語の授業に登場して「落語、漫才講座」を開いたり、林家染雀さんにレジメを作ってもらい、それをキエフ大学学生、イーラさんがウクライナ語に翻訳するなど。

二日間にわたってのイベント。会場は、初日はキエフ大学大講堂とオペレッタ劇場。二日目は学者会館。

キエフ大学では林家染雀さんが落語講座と小話、落語「気の長短」、そして踊り「どうぞ叶えて」。次に桂あやめさんが落語「動物園」。最後に姉様キングスで都都逸とアホ陀羅経。落語「気の長短」は身振り手振り、それに話し方が大げさな落語であるためウクライナ人にとって分かりやすいものであった。落語「動物園」も比較的分かりやすいネタであり、身振り手振りが可笑しくとても受けていた。姉様キングスは二人で島田のカツラに白粉を塗って芸者になり、桂あやめさんがバラライカを、林家染雀さんが三味線を持ってリズミカルに行う芸。都都逸とアホ陀羅経はいわば日本のラップ。歌って踊る民族であるウクライナ人にはぴったりだった。会場を見ていると、身体をゆすりながら聞いている人が多かった。姉様キングスに入る前、化粧の仕方と着物の着方のワークショップを行ったのがよく、とても受けた。キエフ大学と言語大学の学生約百人が参加し、大いに盛り上がった。

キエフ大学での落語寄席の後、食堂で懇親会。そして、息のつく間もなくオペレッタ劇場での出演。姉様キングスでアホ陀羅経と松尽くしを披露。オペレッタ劇場の出演は直前に決まったもの。キエフ国際婦人クラブ六十周年記念会に世界十八ヵ国からアーティストが参加してパフォーマンスを披露するもの。日本からの出演者が突然来れなくなり、日本の担当者は困り果てた。その相談が在ウクライナ日本国大使館大使夫人、天江英美さんのところに。そして、彼女から私のところへ。喜んで引き受けたという経緯。ユーシェンコ大統領夫人も参加の大きなイベントだった。

学者会館で姉様キングスを披露。左が桂あやめさん、右が林家染雀さん

次の日に行われた学者会館では、日本語を学ぶ学生よりも一般の観客が多かった。両日通訳を担当したキエフ大学学生、サーシャ君は初日より解説と通訳を増やし、理解してもらうよう懸命に努めた。半ばを過ぎると、おおよそ分かってきたようで、笑いが起こっていた。

キエフの前にモスクワでも落語寄席を開いたが、これも大好評だった。

ＡＵ現代美術展～世界四大アーティスト・嶋本昭三と仲間たち

世界四大アーティスト、嶋本昭三先生。後の三人はジャクソン・ポロック、ルーチョ・フォンタナ、ジョン・ケージ。皆他界した。嶋本先生だけが存命。この世にしっかりと生きて元気いっぱい常に新しいことに挑戦し続ける七十七歳。まさに超人、天才とはこの人のことを言うのだろう。イタリアでのビエンナーレに嶋本先生が行くとなると、百人の仲間がついてくる。世界美術界でも稀な現象。仲間の総称がＡＵ(Artist Union)。

十一月終わりから十二月初めにかけて嶋本先生夫妻と仲間二十人がウクライナにやって来た。新聞・雑誌・テレビなどマスコミは大騒ぎ。十日間の滞在中、いつもジャーナリストに追いかけられる状態。

実は彼らがウクライナに着く直前まで会場等が定まっていなかった。現代美術の土壌がまだできていないウクライナ。美術館、美術関係者は我々の話に興味はあるものの、怖がって手を出さない状況。モスクワでの落語寄席の世話を全てしてくれたモスクワ大学学生、マシカさんとそのボーイフレンドのサーシャ君がキエフに助っ人としてやって来てくれた。彼らはヒッピーや現代アーティストに繋がっているので、大いに助かった。彼らの紹介でキエフの現代アーティスト、ゲーナさんと会うことができた。彼は嶋本先生を師と仰ぎ、自ら女拓や瓶投げパフォーマンスを行っている。だから、我々が何をしたいのかをすぐに理解し、全面的に協力してくれることになった。女拓とは魚拓の人間女性版。瓶投げとは嶋本先生が編み出したもので、瓶に絵の具を入れカンバスに投げつけて描く方法である。

一番弟子ＬＯＣＯさんの結婚式のため、嶋本先生は奥さんと一緒に遅れてキエフ入りすることになった。嶋本先生夫妻が来るまで二、三日あったので、二十人のメンバーは夜行列車で西ウクライナのイワノ・フランキフスクへ向かった。言語大学のサーシャ君が通訳兼世話役を務めてくれ助かった。観光、芸術家との交流、テレビ局や新聞社の取材など盛りだくさん。夜行列車で行き夜行列車で帰る。二泊とも車中。

嶋本先生夫妻がキエフに到着するや否やテレビM—1「グーテンモルゲン」に生出演。嶋本先生のつるつる頭に仲間たちが絵を描くヘッドアートなど披露した後、インタビューを受ける。番組始まって以来の奇想天外な出演者にスタッフは楽しそうだった。

いよいよ展示会場であるリングでの展示会開始。オープニングは嶋本先生の瓶投げパフォーマンス、佐藤美佐子さんの着物パフォーマンス、西沢美幸さんの新聞女パフォーマンス。

次の日の昼はパヴロワ精神病院訪問。ここはアートセラピーで有名。壁にメンバーが絵を描き交流。夜、嶋本先生の女拓パフォーマンスをヴェルティカーシという会場で行う。ゲーナさんも女拓パフォーマンスをする。嶋本先生はウクライナ人女性の女拓、ゲーナさんは日本人女性の女拓を行い、芸術による国際交流を果たした。

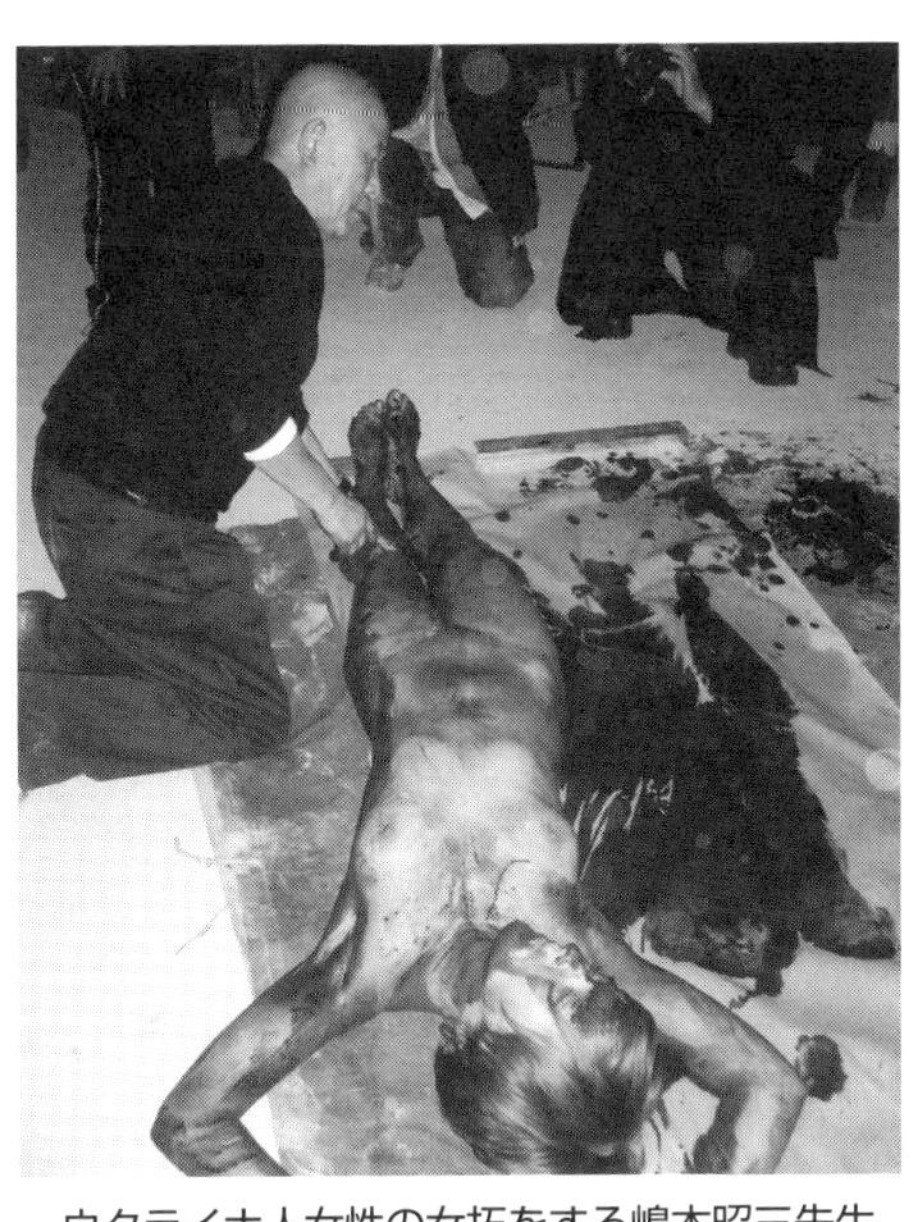

ウクライナ人女性の女拓をする嶋本昭三先生

美術展終了後、特別に「嶋本英美ソプラノリサイタル」を学者会館で開催。嶋本英美さんは嶋本先生の奥さんでソプラノ歌手。日本の歌を披露。ピアノ伴奏はキエフ音楽院でピアノを教えているドミトリーさんとアレクサンドラさん夫妻。約百人の参加者があり、立ち見も出るほど盛況だった。

日本文化週間

二〇〇六年に入ってすぐに日本文化週間を開いた。今回は国際交流基金助成プロジェクトの上、キエフ市文化部の後援がつき、大々的になった。

メンバーは団長の武田洋平さん（東海大学平和戦略国際研究所助教授）、桐生達夫さん（ジャーナリスト）、門井菊二さん（編集者）、大木道雄さん（パフォーミングアーティスト）、平岡貴子さん（声楽家）、菅又美玲さん（声楽家）、中村初恵さん（声楽家）、寒河江真弓さん（ピアニスト）、西内真紀さん（ヴァイオリニスト）、竹節志げ子さん（料理研究家）、そして私の十一人。

初日はオープニングと日本書籍展示会。小学館が数十冊提供してくれた。会場はウクライナの誇るキエフ・モヒラアカデミー図書館。約百人の参加者に加え、テレビ・ラジオ・新聞・雑誌等のマスコミ約二十社が取材に訪れた。この日から連日我々の姿はウクライナのマスコミに登場し続け、一躍有名日本人グループとなった。オープニングと日本書籍展示会の後、すぐに大木道雄さんのパフォーマンスへと入った。日本の伝統的な音楽と共に繰り広げられる大木さんのパフォーマンスはウクライナ人にとても気に入られたようだった。その後、会場をキエフ・モヒラアカデミー映画クラブに移し、田代廣孝監督作品「あふれる熱い涙」の上映会を行った。通訳はキエフ大学学生、イーラさんが務めた。

二日目のスタートは日本文化講演会。会場は同じくキエフ・モヒラアカデミー図書館。門井菊二さんが「日本の出版事情」、桐生達夫さんが「オデッサとの姉妹都市、横浜」、竹節志げ子さんが「日本のお正月料理」、そして私が「天理教とはどのような宗教なのか」というテーマで講演した。通訳はキエフ大学学生のサーシャ君が務めた。次に平岡貴子さん、菅又美玲さん、中村初恵さん、寒河江真弓さん、西内真紀

日本料理に舌鼓を打つウクライナ人

さんによるコンサート。日本の伝統的な音楽に西洋音楽も交え、たっぷり三時間行った。日本文化講演会もコンサートも、身を乗り出して聞く参加者の姿が印象的だった。

最終日である三日目は、日本料理の紹介と交流会。会場は平湯拓先生宅。竹節志げ子さんが手巻き寿司、おにぎり、トンカツなどを作って出した。次から次へと来る参加者。百人前の日本料理はあっと言う間になくなった。やはりウクライナで日本料理は大人気だ。

三日の予定を全て終え、次の日はクリミア半島のセヴァストーポリに向かった。漫画・アニメクラブのメンバーたちとの交流会である。初めての日本人団体に若いメンバーたちは大喜びだった。戸惑いながらも懸命にクリミア半島をガイドする彼らの姿を、日本人メンバーは嬉しそうに見ていた。

クリミア半島から戻ってすぐ、私は友人と旧正月（マランカ）を祝いに西ウクライナのヴィージュニッチァへ赴いた。そして、ウクライナ生活最後の一週間をここでゆっくり寛いだ。

第四章　ウクライナ各地

キエフ

京都市と姉妹都市のキエフには世界遺産が二ヵ所もある。ソフィア大聖堂とペチェールスカ大修道院である。ペチェールスカ大修道院の地下には聖者がミイラとして眠っている。旅行者は決まってその地下道を歩く。怖いもの見たさだろう。

キエフ大学の前に立つシェフチェンコ像

ウクライナで人気ナンバーワンは、やはり詩人タラス・シェフチェンコだろう。どこに行ってもシェフチェンコの像がある。通りの名前にも多く使われている。日本でシェフチェンコといえばサッカー選手のシェフチェンコ選手を思う人が多いだろう。ウクライナでもサッカー選手のシェフチェンコは人気だが、老若男女万人に愛されているのは詩人シェフチェンコだ。キエフ大学の前には大きなシェフチェンコ像が立っている。また、独立広場のすぐ近くにシェフチェンコが住んでいた家がある。ここに入ると不思議に落ち着く。現在はシェフチェンコ文学記念館として運営されている。

シェフチェンコの家の前に知る人ぞ知る、美味しい珈琲専門店がある。ここで飲む一服の珈琲は身も心もリフレッシュさせる。私のとっておきの場所である。

オデッサ

横浜と姉妹都市のオデッサには日本語クラブがある。毎週水曜日、メンバーが集い日本語会話を楽しむ。代表のゴーシャさんはこの会を十年以上続けている。一回の休みもなしに。その地道な努力には脱帽する。日曜日は子どもたちのための日本クラブがある。日本語教室、折り紙教室、書道教室などバラエティー豊か。ゴーシャさんはこれ以外にも「井深大メソッド幼児教育学校」も経営している。

日本語を学ぶ子どもたち

メンバー皆が慕っている日本人、太田優美子さんはオデッサに五十年以上住み続けている。ウクライナ人の主人が亡くなった後も、図書館員として一人静かに暮らし、今は年金生活。ウクライナで最初の日本語教師だろう。樺太に生まれ、ずっと外地暮らし。日本には親戚回りで一度だけ行ったことがあるようだ。日本よりもオデッサの方が肌に合っているという。

オデッサはエイゼンシュテイン監督の映画「戦艦ポチョムキン」の舞台になったところ。日本人にとって親しみ深い。オデッサはお笑いの街でもある。ソ連時代から多くのお笑い芸人を輩出してきた。街を歩く人の表情は明るく楽しげである。

チェルニーゴフ、チェルカーシ

高校時代からの親友、山崎和博君がウクライナにやって来た時、一緒にチェルニーゴフへ行った。案内はキエフ大学学生、オクサナさんと地元の幼馴染み、レーナさん。オクサナさんは日本語が堪能。レーナさんは日本語はできないが、チェルニーゴフの歴史を専門としているので詳しく、英語で説明してくれた。チェルニーゴフで一番有名なのがビール。とても美味しい。中でも「ビーレ」という名のフィルターを通していない濁りビールは最高。ビールを飲みながら四人で遊覧船に乗り、春の一日を楽しんだ。

チェルカーシへはウクライナ民俗学を専攻している研究者の卵、片岡浩史君と行った。彼は大学時代の同級生。ウクライナで十数年ぶりの再会を果たしたのを機に友情を深めた。チェルカーシ出身のキエフ大学学生、ナスチャさんが案内してくれた。ここには立派な歴史博物館がある。見ても見ても見尽くせないほどのスケール。歴史博物館を出る頃にはくたくたになった。

ここでの忘れられない経験は射撃である。ナスチャさんのお母さんがドニエプル川の辺にあるオープン・レストランに連れて行ってくれた。ドニエプル川でとれた鱸の塩焼きが何とも美味だった。ウェートレスは全員迷彩服。このレストランには射撃場があるのである。

食事を終え、射撃場に向かう。元軍人らしきがっしりとした体格のおじさんが射撃の仕方を教えてくれる。ライフル銃はかの有名なカラシニコフ。片岡君と私はそれぞれ十発ずつ撃つ。その激しい衝撃と鼓膜が裂けるほどの爆音に驚き疲れ果て、二人ともフラフラになった。

ジトーミル、ヴィーニッチャ

ジトーミルについた途端、ここは眠っている街というイメージがした。それほど静か。この辺りで興味深いのはそこからバスで約一時間ほど走ったところにある街、ベルジーチフ。ここにはフランスの作家バルザックとハンスカヤ夫人が結婚式を挙げた教会がある。そこからさらにタクシーで一時間。二人が三年間暮らした御殿がある。周りは畑。忽然と美しい御殿が現れるから、びっくりする。

ハンスカヤ夫人は才色兼備の女性。バルザックの愛読者であり、手紙をフランスへ送っていた。バルザックの方も遠い国からしっかりしたフランス語で書かれた手紙に喜び彼女に惹かれていく。ハンスキイ伯爵が亡くなった後、二人は結婚する。フランスからここまで馬車を飛ばしてきたというから、その情熱には驚かされる。

バルザックとハンスカヤ夫人が暮らした御殿

この御殿は現在学校となっている。突然訪問した私を校長先生は温かく迎えてくれた。学生が庭を案内してくれた後、学校の一室に設けられたバルザック記念館に通された。可愛いおばあちゃん学芸員が私だけのために出てきてくれて懇切丁寧に説明してくれたのには恐縮した。

ジトーミルの南、ヴィーニッチャは小説『忘れられた先祖の影』の作者、ミハイロ・コチュビーチニーの出身地。この作品は映画化もされており、ウクライナ文化を知る上では必見。古くから伝わるウクライナの風習や慣わしがベースにある。映像表現も独特で、一度見るとはまってしまう。

カーミャネッツ・ポジーリスキー、テルノーピリ

ソ連時代、ウクライナの城の多くは共産党によって壊された。しかし、全てが壊された訳ではない。各地にいくつかは辛うじて残っている。非常にしっかりと残っているのが、カーミャネッツ・ポジーリスキー。立派な中世の城が今も残っている。ここはシルクロードの重要地点。多くの行商人で賑わったという。ここ出身のキエフ大学学生、スラバ君が友人のサーシャ君と一緒に案内してくれた。

テルノーピリの大きな湖

城の印象も強いが、元市役所の地下にある拷問部屋を見た時、足がすくんだ。何種類もの恐ろしい拷問道具が展示されていて、どのような拷問が行われていたかが分かるようになっている。最も残酷な拷問は人間串刺し。地面に立てられた棒に人間をお尻から刺す。一気に刺さるのではなく、体重によってじわじわと棒が身体に刺さり、最後は口から棒が出てくるというもの。その絵を見た時、眩暈がした。昔は殺人などの重い罪はもとより借金の返済ができない場合も拷問を受けたそうだ。

カーミャネッツ・ポジーリスキーの帰りにテルノーピリへ一人で寄った。中央駅を降りるとすぐに美しくて大きな湖がある。釣りをしたり日向ぼっこをしながらその辺で過ごす人びとの姿はゆったりとリラックスしていた。街のつくりはお洒落でヨーロッパの趣を感じた。

リーヴネ、ルツク

ウクライナは西へ行けば行くほど、人びとの眼差しが優しくなるように思う。言葉もロシア語は一切話さず、すべてウクライナ語。ロシア語のあまり分からない人もいる。物価もぐんと安くなり、旅行もしやすい。カフェやレストランに入っても、ホテルに泊まっても、キエフと比べれば格段に安い。信じがたいほどの違いがある。

西ウクライナのリーヴネに行った時もそう感じた。わりと小奇麗なレストランで食事をしたが、キエフの半額程度。その後、隣のディスコに入り踊った。素朴な若者たちが寄ってきてウクライナ語で話しかけてくる。男の子も女の子も純真そのもの。生日本人に初めて接したようで、好奇心いっぱい。一緒に乾杯し、くたくたになるまで踊りに踊った。

その隣の街、ルツクも同じような雰囲気。さらに西なので、もっと素朴。ここにも城がある。訪れると、城の中で若者たちが甲冑をつけチャンバラをしていた。中世の騎士に思いを馳せ、口々に「これが正しいやり方だ」「この方がいいぜ」などと言いながら飽くこともなくいつまでも続けていた。

ルツクの城

リヴィウ

西ウクライナを代表するといえば、やはりリヴィウ。街自体が世界遺産に登録されている。昔からウクライナ人、ポーランド人、アルメニア人などが入り混じり、独特の文化の香りがする。

日本語を学ぶ学生たちとの交流

ここには日本語の先生、イゴルさんがいる。リヴィウ工科大学で教えており、居合道や剣道にも通じている親日家。二〇〇五年の愛知万博にも一役買っている。リヴィウには数回赴き、日本語を学ぶ学生たちとの交流を持ったが、すべて彼がお膳立てしてくれた。

リヴィウには見るべき所が多く、何度行っても新しい発見がある。特にオペラ・バレエ劇場は荘厳で目を見張る。外からの様子も立派だが、中に入ると息を呑むほどの立派な造り。ウクライナを代表するオペラ・バレエ劇場はキエフ、オデッサ、リヴィウにあるが、リヴィウの劇場はとりわけ凄い。数年前、日本政府が資金援助をしてライトアップしたので、夜の姿は幻想的で美しい。

リヴィウには地元の人しか知らない穴場のカフェがある。もちろんイゴルさんの紹介で訪れた。狭い路地の突き当たりに古色蒼然としたカフェがひっそりとある。中は中世のしっとりとした装飾がなされており、落ち着く。ここでしか味わうことのできない蜂蜜入りのお酒を堪能しながら、静かに語り合う。リヴィウを象徴するカフェである。

ウジゴロド、イワノ・フランキフスク、ホティン

西ウクライナにはザ・カルパチアとプリ・カルパチアという呼び名の地域がある。カルパチア山脈を挟んでキエフ側から見て向こうがザ・カルパチア、手前がプリ・カルパチア。ザ・カルパチアを代表する街がウジゴロド。ここにはユーモア作家、パブロワさんがいる。彼はウクライナ料理のレストランを経営している。そのレストランは何ともユニークで、面白い絵が掛けられてあったり、ふざけた注意書きが貼られてあったりと至る所にユーモア溢れる工夫がこなされている。

彼の友人、ミハイロさんの案内でカルパチア山脈を車で駆け巡った。山の中には温泉もあり、サナトリウム（保養所）が所々にある。サナトリウムというと日本では病院のイメージがあるが、ウクライナではホテルのような存在。温泉は浸かるだけでなく飲用もある。ミネラルたっぷりで味わい深い。

プリ・カルパチアの顔というべき街はイワノ・フランキフスクである。ここには数回足を運んだ。ここから車で少し行ったところにボレヒフという場所がある。そこは巨大石群のある神秘的な場所。神々が宿っているという説明に自然と納得してしまう。岩を登ったり降りたりしながらその大きさを身体で感じた。途中、岩と岩の問を通り抜けるとこれまでの罪はすべて取り払われ、真っ白な状態に戻るというところがある。岩と岩の間は本当に狭い。不安に思いながらも何とか通り抜けることができた。通り抜けると、不思議に心が真っ白になったような気持ちがした。

イワノ・フランキフスクの東隣の州、ホティンにも立派な城が残っている。この城が現在ウクライナに残っている最も大きな城だろう。一見の価値がある。

ハルキフ、スミ

ウクライナで地下鉄があるのは三都市。キエフ、ハルキフ、ドニプロペトロフスク。ハルキフは大きな都市だけあって、街は立派である。寿司バーも二、三軒あり、よく流行っている。大きなキリスト教会もある。このような大きな街のホテルに泊まると、夜通し部屋のドアがノックされる。開けようものなら派手な化粧をした女の子が「ノー・プロブレム」と言って入り込んでくる。気をつけないと、その時点で手遅れだ。ホテルの受付が女衒(ぜげん)として招いた売春婦である。たっぷりとサービスしてくれるが、手八丁口八丁で大金を毟り取られる。ロシア語やウクライナ語ができない外国人は有り金全部を取られることもある。そんなケースを何度も聞いた。寸時ではあれ快楽を得たのであるから、それに見合った代償かもしれない。一夜の火遊びを楽しみたい御仁は、金を溝に捨てる余裕を持たなければならない。

なお、ウクライナにおける夜の商売は法律的には禁止されているが、このようにホテルに連れ込むケースが殆どだ。売春婦が客を待ち構えているディスコなどもある。また、ある事務所に問い合わせると、スポーツセンターを紹介される。つまり、そこが日本でいう女郎屋、ソープランドである。この件に関しては幸か不幸か十分な体験を得ることができず聞き取り取材によっての情報なので、多少のズレがあるかもしれない。しかし、大きく外れていないことは確かである。

ハルキフの西隣にあるスミにはチェーホフの家がある。ヤルタにあるチェーホフの家は有名だが、実はここにも立派な家がある。チェーホフは家族とともにここで数年暮らしながら、執筆活動を行ったそうだ。暮らしぶりが分かるよう、記念館として当時のまま保存されている。

ミルゴロド

ミルゴロドでは年に一度大きなバザールが開かれる。五日間だけのお祭りのようなバザール。作家ゴーゴリの時代に盛んだったが、ソ連時代はなくなっていた。数年前から再び開かれるようになった。ゴーゴリはこの地方出身の作家。彼の作品にはウクライナの風習や習慣がよく出てくる。ウクライナのことを知らなければ、ゴーゴリは理解できないといっても言い過ぎではない。この分野に関して日本で最も詳しいのは天理大学准教授・日野貴夫先生だろう。先生の専門はゴーゴリであり、キエフ大学教授・ボンダレンコ先生と一緒に『日本・ウクライナ、ウクライナ・日本語辞典』を出している。

挨拶するユーシェンコ大統領。右横は奥さん

　このバザールはソロチンスキー・ヤルマックという。ここは環境問題グループの代表、オリガさんと主人のボクダンさんが案内してくれた。チャーミングな孫娘、カーチャと一緒に。二〇〇五年の開催期間は八月十七日～二十一日であったが、初日はユーシェンコ大統領が奥さんを連れて訪問。ノーネクタイ、上下真っ白の洋服で舞台に上がり挨拶した。「こんな暑い日は、気楽にノーネクタイで行きましょう」と言って、舞台上の地元の有力者に促した。聴衆はどっと沸いた。オレンジ革命を成し遂げた英雄のそんな気さくな一面を垣間見た。

ドニプロペトロフスク、キロボグラード

ウクライナで寿司バーは大人気で、キエフ、オデッサ、ハルコフ、ドニプロペトロフスクなどにある。キエフには五十軒以上あり、その他の都市にはそれぞれ数軒ずっある。寿司バーを目にすると、できるだけ入ってみて取材するのだが、どこにも日本人シェフはおらず、店員も日本語が話せない。ただし、例外を二軒知っている。キエフの「燦鳥」とドニプロペトロフスクの「札幌」だ。前者には小林孝さんという日本人シェフがおり、本物の寿司が出されている。ウクライナ唯一の日本人シェフだ。後者にはナタリアさんという店員がおり、驚くほど日本語が堪能。しばらく日本に住んでいたようだ。

寿司バー「札幌」の店員。左端が日本語堪能なナタリアさん

「札幌」に入ると、彼女が出てきて日本語で対応してくれる。こんな店はウクライナでは他にない。各テーブルの上に一輪ずつ白い菊が活けられてあったので、「日本ではこの花は仏様用ですよ」と話すと、店長は驚いていた。ナタリアさんは分かっていたようだが、店長に言いづらかったようだ。

ドニプロペトロフスクの西隣のキロボグラードは静かな街だった。小さな街ながら立派な美術館があり、いい作品が展示されていた。

ヘルソン、ミコライフ

ソ連時代、ウクライナでとれた穀物をヨーロッパへ輸出するためにオデッサ、ヘルソン、ミコライフという港が作られた。その港を中心に街が出来上がっていった。

ヘルソンの港には白黒の横縞模様の服を着た船乗りがたくさんいた。大きな船を沖合いに泊めておいて小船に数人ずつ乗って手漕ぎで港へあがる。若くて逞しい若者たちははしゃぎながらオールを手にしている。ここには立派な歴史博物館があり、見ごたえがあった。

ヘルソンと並ぶ港町、ミコライフ。ここにはウクライナを代表する大きな動物園があるので、試しに入ってみた。確かに大きい。しかし、何だか静か過ぎる。キエフの動物園もそうだが、ミコライフの動物園でも、動物がイキイキしていない。夏が終わり涼しくて気持ちよい季節なのに、動物たちはじっとしている。少なくとも日本の動物園の動物たちはごろごろしている。ウクライナの動物たちはごろごろもせず、身動き一つしない。諦めの境地に至っているようだ。

ミコライフでは恐ろしい体験をした。夕暮れ時、突然目つきの悪い若者グループに囲まれた。彼らは汚い言葉を発しながら鎖を振り回し始めた。このままでは危ないと思い、必死に彼らから逃げ、命からがら列車に飛び乗った。

後で聞いた話だが、「ミコライフはフーリガンの街」として有名とのこと。外国人が一人で旅をするのには危険な街である。港町はどの国でも危ないとされているが、ここは特に気をつけなければならない。運が悪ければ、命まで落としてしまう。

メリトーポリ

日本を出発する際、天理教明城大教会前会長で現豊岡大教会会長の松井石根さんから「メリトーポリという街にウクライナ初のようぼく（天理教信者）がいるので、ぜひ会ってきてほしい」と頼まれた。彼の名前はニコライさん。奥さんはアンナさん。数年前、松井さんがモスクワを訪問した際にわざわざ訪ねてきたのだという。とても熱心に天理教について学ぼうとする彼の姿に心打たれ、夫妻を天理に招いたそうだ。そして、ようぼくとなった。ウクライナに帰ってからもしばらくは布教活動を行ったり、日本ウクライナ協会を立ち上げて日本とウクライナの交流に力を注いでいたようだが、様々な迫害を受け、今はそうした活動を一切していないようだ。

ウクライナのピラミッド。昔はこの上にさらに石が積まれていたという

私が訪ねると、夫妻は大変喜んでくれた。夫妻のすすめで、そこからバスで北へ少し行ったところにある古代遺跡を訪ねることにした。行って驚いた。草原の中に忽然と古代のピラミッドがあるではないか。それを守るようにして立ち並ぶ埴輪に似た人形。ピラミッドの上に立って空を眺めると、過去と現在が入り混じったような、神の世界に触れたような不思議な感覚に襲われた。

ドネツク、ルガンスク

キエフだけでなく、ドネツク、ルガンスクにも日本山妙法寺はある。

熱心にお経を唱える信者たち。ドネツクの日本山妙法寺で

ドネツクでは日本山妙法寺に泊めてもらった。住職のセルゲイさんが精進料理を自ら作って出してくれた。野菜入りのラーメン。汁はないが、温かくて美味しい。

夕方になると、十数人の信者が集まる。セルゲイさんのお経にあわせて「南無妙法蓮華経」を唱える。両親に連れられて小学生の子どもまで参加している。

その後は、直会。お茶やクッキー、チョコレートを囲んで仏教について、日本について自由に語り合った。

夜はペチカで寝させてもらった。ウクライナ人の知恵、ペチカ。現代でいう暖房機である。ぽかぽかと暖かく、寝心地が良かった。

ルガンスクにも日本山妙法寺があるが、上手く連絡を取ることができなかったため、残念ながら訪問は叶わず、街の様子を見て歩いた。聞くところによると、大自然の中にある寺で、開放的で心が落ち着くとのこと。次回はぜひ行ってみたいと思っている。

クリミア半島

ウクライナの夏といえば、クリミア半島だろう。ウクライナはもちろん、ロシアやヨーロッパからも多くの人が保養に訪れる。作家チェーホフが愛してやまなかった特別な場所である。

ヤルタもいいが、クリミア半島にはいいところがたくさんある。セヴァストーポリには古代ギリシア時代の遺跡があり、エキゾチックな雰囲気に包まれている。ここには漫画・アニメクラブがあり、時折大会が開かれる。私も参加したことがあるが、彼らの漫画やアニメに対する熱い気持ちは物凄い。

「カザンチップ」で踊りまくる若者たち

セヴァストーポリからバスで約一時間ほど行ったところにバフチサラーイという街がある。周りはすべて山。そこにあるオスマン・トルコ風の宮殿は見物。ここでクリミア独立宣言を行ったのかと思うと、感慨深い。そのすぐ近くにあるウスペンスキー修道院を見ると、信仰の持つ力をひしひしと感じる。崖をくり抜いて作られた建物なのである。

夏、クリミア半島の中で若者たちが一番好んで訪れるのがミルニー。この浜辺で「カザンチップ」というディスコが開かれる。八月の一ヵ月間、二十四時間ずっと休むことなくである。若者たちは寝てもさめても踊りまくる。私も参加したが、三十半ばの身体には少々きつかった。

第五章　ウクライナ人のメンタリティー

ウクライナの女性は魔女⁉

キエフ・モヒラアカデミーのカプラーノフ先生には双子の弟（ヴィタリーさん、ドミトロさん）がおり、二人で「緑の犬」という出版社を経営している。ある日、ウクライナの出版事情を聞きに行ったところ、最後にウクライナ人のメンタリティーについての話になった。そこで出た話が「ウクライナの女性は魔女」。二人は共著で二冊の小説を出版しているが、テーマはウクライナの女性。

主にヴィタリーさんが話してくれたのだが、ウクライナ語で魔女をヴィドマ（Vid'ma）という。ヨーロッパでは魔女といえば、鷲鼻のおばあさんのイメージがあるが、ウクライナでは若くて美しいイメージ。昔、アメリカのテレビドラマに「奥さまは魔女」というのがあったが、あのような感じだ。このヴィドマという言葉には「たくさんのことを知っている」という意味が含まれている。何をたくさん知っているのかというと、神秘的なことや世の中の秘密。なので、ウクライナでは男性は女性に敵わず、従っているという。

私の思うところ、ウクライナの女性は男性の心を掴む秘訣をよく知っており、男性から見るとこれが魔法なのだろう。まず服装が挑発的なのは街を歩く女性を見るとよく分かる。次に仕草。男性を見る時に直接見るのではなく、まずあらぬ方をチラッと見てから男性の目の奥を見つめる。あるいは、まさに漢字の「女」のように、腕と腕、足と足をクロスさせ、伏し目がちに男性を見つめる。こういった男心を捉え、悩殺する方法をウクライナの女性はよく知っている。それだけではない。普段の生活においても、どのようにすれば男性が自分の意のままに動くのか良く心得ている。いろいろな所で男性を思いのままに操っている女性をよく見るが、見事としか言いようがない。

ウクライナの女性に「あなたは魔女ですか?」というと、必ず喜ばれると最後に教えてくれた。いろいろなウクライナの女性に問うたところ、やはり喜ばれた。しかし、中には例外もあり、怒られたこともある。

ウクライナの女性と結婚した日本の友人が何人かキエフにいるが、彼らの話を聞いていると、ウクライナ人女性魔女説が頷ける。二十四時間一年中、例外なく奥さん中心に世界が回っている。日本のように男同士で飲みに行くというのは許されない。必ず奥さん同伴でないといけない。夕方、友人とどこかで会っていると、携帯電話のベルが五分置きに鳴る。しかも、その電話を喜んで受けているのである。これはまさに魔法としか言いようがない。

話を聞いていると、一ヵ月以上の出張、単身赴任など考えられないようだ。一年の単身赴任などは、即ち離婚である。社長、政治家、医者、大学教授など社会的地位のある人でも奥さんの意見に従い、時には仕事の内容もそれに準じるようだ。

キエフ在住の料理研究家・中川昌彦さんが唱えるウクライナ人女性八割美人説には賛成だが、美しい女性であればあるほど強い魔法を持っていることを忘れてはいけない。もしウクライナ人女性と付き合うならば、身も心も彼女に捧げる覚悟が必要。そうしないと大火傷をする。偉そうなことを言っている私も、気づかないうちに魔法にかかって片足を火傷しているかも知れない。

ウクライナ人は案外イラチ

ウクライナにはゆったりとした時間が流れている。人びとは自然の摂理に従って暮らし、スローライフを楽しんでいる。地方を旅して私はそのことを実感する。しかし、都会にいけばいくほど、人びとはせっかちになり、「待つ」ことが苦手になる。大阪弁で言うところのイラチ。首都であるキエフではそれが顕著だ。

本来、ウクライナの人びとはゆったりとした時間の中で生きている。しかし、時代とともに都会では時間の流れが早まっている。そして、ウクライナ人の体に流れているゆったりとした時間と資本主義社会のスピーディーな時間が不調和を起し、ウクライナ人はイラチになる。

例えば、地下鉄。切符売り場で並んで待っていると、枷から割り込む割り込む割り込む。エスカレーターに乗ろうと思って順番を待っていると、やはり割り込む割り込む。見事に割り込む。

その他、街角のキオスクなどで煙草やビールを買おうと並んで待っていても、割り込む割り込む。それをそのまま放っておくと、いつまでたっても自分の番が回ってこない。懸命に自己主張し、自分の体を前へ前へやる必要がある。

車の運転もそうだ。割り込んで割り込んで運転するので、おっかない。車間距離が短く、目を開けて乗っていると、落ち着かない。

そう、地下鉄でもう一つ面白い現象がある。一つ前の駅から外に出る用意をし、人を掻き分けて扉の前まで行く。前に人がいると「(次の駅で) あなたは出ますか?」を連発し、「いいえ」と答えると、もがく様にしてその人の前へ行き、ドアに少しでも近づいたことに安心する。

街にもウクライナ人がイラチである証拠を見ることができる。キエフの街には待ち時間を表示する信号機がいくつかある。イラチの人が多い大阪でもこのような信号機はあるが、五秒か十秒単位でカウントダウンする。それがキエフでは一秒単位である。しかも信号待ちの時は、信号機を睨むようにして見つめ、青に変わった途端、足を前へ出す。車が走っていなければ、当然信号無視をして道路を渡る。

話は突然ヘアースタイルになるが、男性の髪型に丸坊主が多いのも、実はイラチだからかもしれない。キエフ在住の伝説的言語学者・平湯拓先生は「コサックの髪型が現代にも生きている」と分析しており私も賛成だが、ウクライナ人イラチ説を強引に引っ付けると、洗髪に時間をかけるのが面倒なため丸坊主にしているとも言えるのではないだろうか。小さな子どもから青年、中年、老人に至るまで丸坊主の男性がウクライナには多い。その理由がイラチだと考えると、何とも可笑しい。

その他にもウクライナ人がイラチであると思う事実がある。それは日常会話で使われている「シュト—?」だ。これは日本語で「何?」にあたるが、ウクライナ人は「シュト—?」と一回言うよりも、「シュト、シュト?」と二回繰り返して言うことの方が多い。他のロシア語圏でも繰り返すことはあるが、ウクライナではその率が高い。しかも「シュト」と「シュト」の間の時間が極端に短く、他のロシア語圏の人びとと比較にならない。ひどい人になると、「シュト、シュト、シュト?」と矢継ぎ早に繰り返す。最高五回繰り返すのを聞いたことがある。その時にウクライナ人イラチ説を確信した。

まだある。映画館で映画が終わると、すぐに席を立つ。映画の最後の字幕が出るや否や、一斉に席を立つ。誰一人として字幕を見る者はいない。映画館側も字幕が出るや否や電気をつけ、係員が出てきて外に出るよう促す。いろいろな映画館で映画を観たが、例外なくそうである。

最後に、ウクライナ人は時間にルーズだとか仕事をきちんとしないという批判があるが、よくよくウクライナ人と付き合っている内に、本当にそうなのだろうかという疑問を持つようになった。ウクライナ人はイラチゆえ、時間の約束をするのが嫌いだ。仮に一週間前に時間と場所を決めて会う約束をしたとしよう。そうするとその約束に縛られて、イラチゆえに一週間そのことばかり考えイライラする。だから一週間先の約束など考えられない。たとえしたとしても、それは約束ではなく、前向きな希望でしかありえない。実際、このことを知らない日本人が、親しくなったウクライナ人と一週間先の約束をしたものの、その当日約束を全く無視され怒っているケースをしばしば聞く。これはメンタリティーの違いだから仕方がない。ウクライナ人の場合は、おおよそのスケジュールを決め、その日の朝か、よくて前日の夜にきちんとした予定が決まる。

また、仕事を百パーセントきちんとしようという思いが強く、心構えから始まって随分前から準備を始める。そして、いざ本番、仕事の開始だという時には、その準備をほとんど忘れ、そのため綿密な仕事をすることができない状況に陥る。

私の住んでいるアパートも壁紙や床板がはがれたり、電球が焼けて落ちてきたり、水道の蛇口が壊れて水が止まらなくなったり……などいろいろあるが、ウクライナ人イラチ説が分かってからは、イラチの大阪人として妙な親近感が生まれ、笑って見ることができるようなった。

人と人の距離が近い

ウクライナ人の酒の肴は人の頭の臭いである。一気にウオツカを飲み干し、隣の人の頭を抱えてその饐えた臭いを嗅ぎ一息つく。ウクライナの安酒場で飲んでいると、しばしば隣のおじさんと仲良くなり、一緒に飲むことになる。そして決まって頭の臭いをプレゼントすることになる。取材旅行の途中など、何日も風呂に入らないことがある。自分でも変な臭いだと感じるほどの悪臭であればあるほど、いい酒の肴になるようで、おじさんは喜ぶ。隣に人がいない場合は自分の脇の臭いを酒の肴にするが、人の頭の方が美味しい酒が飲めるようだ。別にホモでも何でもない。これはウクライナにおいて普通の光景だ。

突然このような話を枕にもってきたのは、ウクライナではそれほど人と人の距離が近いのだということを強調したかったからだ。日本からウクライナに来た時、この距離にちょっと戸惑ったが、半年もすれば慣れた。

挨拶においてもその距離の近さが分かる。男同士が出会うと友情の印に必ず握手をし、とても仲のよい間柄の場合は抱き合う。女同士が出会うと、友情の印に抱き合って頬と頬を合わせてキスする。場合によっては唇と唇を一瞬合わせてキスをする。男と女が出会うと、友情の印に矢張り抱き合って頬と頬を合わせてキスする。恋人の場合は勿論口と口を合わせてのキスである。

立ち話をするときの距離も近い。これは男同士、女同士、男女すべてにおいて共通して言える。飲食においても、ペットボトルに入ったジュースの回しのみも平気だし、人の汚れた手でちぎられたパンを食べるのも平気。タクシーに乗る時は助手席に乗って運転手と話しながら目的地まで行く。キエフではほとんどが白タクで、乗る前に値段交渉をする。普通のタクシーでもメーターはなく、同じである。だから、目的地へ着くまでに値上げされないよういい人間関係を保つために会話するという意味も含まれてはいるのだが。それにしても何から何まで人と人の距離が近い。

地下鉄の駅や車両で若いカップルが抱き合いながら時を過ごしているのはごく普通。中年夫婦、老人夫婦も手や肩や髪の毛を触りあいながらいつもべたべたしている。数分おきにキスするのも珍しくない。カフェ、街角など至る所でこのような光景を見ることができる。

映画館では、上映中ずっとディープキスしながら過ごすカップルも少なくない。一番後ろの座席ではキスを超えてせっせこ交わっているカップルもおり、初めて見た時は驚いたが、何回か出くわすと普通に思えてきた。

夜行列車でウクライナ中を取材して回ったが、夜中隣でごそごそしているなと思って見ると、若いカップルが狭い寝台の上で一生懸命励んでいる。カーテンも何もない三等車なので、丸見えだが平気。こちらが気まずくなって背中を向けて寝たほどだ。それほど人と人の距離が近く、しかもおおらかである。

三等車で旅する面白さはウクライナ人と仲良くなるところにある。仲良くなると、自分の持っている食べ物や飲み物を分け合い、互いに身の上話をしながら楽しく過ごす。そして、もっと仲良くなれば「馬鹿」というトランプ遊びが始まる。小さな子どもから老人まですべてのウクライナ人が知っている遊び。ウクライナ人だけでなく、旧ソ連圏の人なら誰でも知っている。時の経つのを忘れてこのトランプ遊びに皆熱中する。「馬鹿」を知ってるかどうかで、その外国人がどれほどウクライナの生活にどっぷり浸かっているかが分かる。「さあ、皆で『馬鹿』をやろうよ」と言っただけで、ウクライナ人は打ち解け喜び、そして深い交流が始まる。

しかし、考えなければならないこともある。この近い距離はいいことばかりではない。元気な時はいいが、しんどい時や病気の時は結構辛いようだ。ウクライナ人と結婚した友人から聞いたのだが、風邪で寝ていると、奥さんがベッドに入ってきて懸命に体中をさすりまくるのだという。本人は静かに一人寝ていたいのにも関わらず、「病気の時は特に大切にしてあげるワ」といいながら一晩中続くそうである。なかなか大変だ。

家族や友人関係においても、一旦仲が悪くなるとおぞましい。夫婦の場合は離婚だし、兄弟姉妹の場合は絶交である。友人の場合は裁判沙汰に発展することもある。このような状況に陥ると回復は非常に難しい。人と人の距離が近いだけに愛情も深いが憎しみもきつい。男同士、女同士、男女すべてにおいてそうである。

人と人の距離が近い社会で上手く生きるためには、いろいろと気をつけなければならない。例えば、会話の中で、迂闊にその人の嫌っている人物の名前を出そうものなら、大変なことになる。いつの間にかその渦中に巻き込まれ抜け出せない状況に陥りかねない。そのほかにも気をつけるべきことを考えれば、枚挙に暇がない。外国人がウクライナで上手に暮らす最も大切なコツは間合いのとり方である。一年経って、その間合いの取り方がようやく分かってきた。

ウクライナ・ブックレット刊行に際して

ロシア発祥の地、ウクライナ。まさにスラヴの母というべき存在。その首都・キエフはまさにスラヴのヘソである。日本でロシア文化と思われているものの中には、ウクライナのものが多い。身近なところで言えば、料理。ボルシチはロシア料理として日本で知られているが、実はウクライナ料理。日本の家庭でよく作られているロールキャベツ。これもウクライナ料理である。

ロシア文学として日本で紹介されているゴーゴリもウクライナ出身であり、ウクライナ文化を知らないとその内容を充分理解したとは言えない。

このように、ウクライナはスラヴの母的存在であるものの、日本では一般にロシアとごっちゃになっている。それどころか、ロシアの中の一部として捉えられている。これはまだよい方で、ウクライナという国さえ知らない人が日本には多い。

翻ってウクライナに目をやると、日本や日本語に興味を持っている人、憧れている人、勉強・研究している人……とその数のなんと多いことか。

このギャップを埋めるために、ウクライナ・ブックレットは刊行される運びとなった。一人でも多くの人にウクライナを知っていただきたい。その一念である。

日本ウクライナ文化交流協会

著者近影

《著者略歴》

小 野 元 裕（おの・もとひろ）

1970年大阪生まれ。大阪府立布施高等学校卒業後、天理大学外国語学部ロシア学科へ。大谷深先生のもとでロシア文学とりわけドストエフスキーを学ぶ。学生時代に人生の師澤井義則先生と出会う。大学卒業後、大阪の出版社株式会社新風書房に入社。書籍編集者として13年間勤める。仕事の傍ら、2001年８月全員参加型学びの場「文化創造倶楽部」を立ち上げる。2005年１月同社を退職し、日本ウクライナ文化交流協会設立のため、ウクライナの首都キエフへ赴任。2006年１月帰国。１年間に様々な日本文化紹介のイベントをウクライナで催し、日烏文化交流に努める。傍ら、ウクライナの全地域を回って取材し、本の執筆やドキュメンタリー映画の制作を行う。2007年10月国立ウクライナ作家協会の招待を受け、キエフで開催の国際作家フォーラムに参加。そこで国立ウクライナ作家協会より日本人で初めて勲章を授かる。2021年５月丸山健二先生に弟子入りし、小説作法について本格的に学び始める。著書に『ウクライナ丸かじり』（ドニエプル出版）がある。愛読書は『老子』、大形徹先生のもとで読む。

株式会社ドニエプル出版代表取締役社長、株式会社東大阪新聞社代表取締役社長、日本ウクライナ文化交流協会会長、大手前大学非常勤講師、文化創造倶楽部代表世話人、先人に学ぶ人間学塾塾頭、法務省保護司。

ウクライナ・ブックレット	各定価（本体500円＋税）
1 **ウクライナ丸かじり**	小野元裕 著
2 **クリミア問題徹底解明**	中津孝司 著
3 **マイダン革命はなぜ起こったか**	岡部芳彦 著
4 **ウクライナの心**	中澤英彦／インナ・ガジェンコ 編訳
5 **ウクライナ語会話集**	ミグダリスカ・ビクトリア 著 ミグダリスキー・ウラディーミル 稲川ジュリア潤

ウクライナ・ブックレット1

ウクライナ丸かじり

～自分の目で見、手で触り、心で感じたウクライナ～

発　行　日　2006年6月25日初版発行ⓒ
2022年8月24日第三版発行
著　　　者　小野　元裕
企画・編集　日本ウクライナ文化交流協会
発　行　者　小野　元裕
発　行　所　株式会社ドニエプル出版
〒581-0013　大阪府八尾市山本町南6-2-29
TEL072-926-5134　FAX072-921-6893
発　売　所　株式会社新風書房
〒543-0021　大阪市天王寺区東高津町5-17
TEL06-6768-4600　FAX06-6768-4354
印刷・製本　株式会社新聞印刷

ISBN978-4-88269-924-8